Como Acreditar
num Sagitariano

Mary English

Como Acreditar num Sagitariano

Orientações da Vida Real para Relacionar-se
Bem e ser Amigo do Nono Signo do Zodíaco

Tradução:
MARCELLO BORGES

Editora Pensamento
SÃO PAULO

Título original: *How to Believe in a Sagitarius.*

Copyright do texto © 2011 Mary L. English.

Publicado originalmente no RU por O-Books, uma divisão da John Hunt Publishing Ltd., The Bothy, Deershot Lodge, Park Lane, Ropley, Hants, SO24 0BE, UK.

Publicado mediante acordo com O-Books.

Copyright da edição brasileira © 2014 Editora Pensamento-Cultrix Ltda.

Texto de acordo com as novas regras ortográficas da língua portuguesa.

1ª edição 2014.

Todos os direitos reservados. Nenhuma parte deste livro pode ser reproduzida ou usada de qualquer forma ou por qualquer meio, eletrônico ou mecânico, inclusive fotocópias, gravações ou sistema de armazenamento em banco de dados, sem permissão por escrito, exceto nos casos de trechos curtos citados em resenhas críticas ou artigos de revista.

A Editora Pensamento não se responsabiliza por eventuais mudanças ocorridas nos endereços convencionais ou eletrônicos citados neste livro.

Editor: Adilson Silva Ramachandra
Editora de texto: Denise de C. Rocha Delela
Coordenação editorial: Roseli de S. Ferraz
Preparação de originais: Marta Almeida de Sá
Produção editorial: Indiara Faria Kayo
Assistente de produção editorial: Estela A. Minas
Editoração eletrônica: Join Bureau
Revisão: Vivian Miwa Matsushita e Indiara Faria Rayo

Dados Internacionais de Catalogação na Publicação (CIP)
(Câmara Brasileira do Livro, SP, Brasil)

E48c
1. ed.
  English, Mary
    Como acreditar num sagitariano : orientações da vida real para relacionar-se bem e ser amigo do nono signo do zodíaco / Mary English ; tradução Marcello Borges. 1. ed. – São Paulo : Pensamento, 2014.

  Tradução de: How to believe in a sagitarius.
  ISBN 978-85-315-1857-7

  1. Sagitário (Astrologia). 2. Astrologia. I. Título.

13-08104
CDD-133.54
CDU: 133.526

Direitos de tradução para a língua portuguesa adquiridos com exclusividade pela
EDITORA PENSAMENTO-CULTRIX LTDA., que se reserva a
propriedade literária desta tradução.
Rua Dr. Mário Vicente, 368 – 04270-000 – São Paulo – SP
Fone: (11) 2066-9000 – Fax: (11) 2066-9008
http://www.editorapensamento.com.br
E-mail: atendimento@editorapensamento.com.br
Foi feito o depósito legal.

Este livro foi escrito em memória
afetuosa e é dedicado a meu pai:

Noel Francis Benedict Egerton English
22-12-1921 a 22-9-1982

Que descanse em paz.
Nós somos o barro;
tu és o oleiro.
Todos nós somos
obra das tuas mãos.
Isaías 64:8

↗ Sumário ↗

Agradecimentos 9

Introdução 11

1 O signo 17
2 Como montar um mapa astral 40
3 O ascendente 44
4 A lua 52
5 As casas 62
6 Os problemas 69
7 As soluções 76
8 Acreditando nas táticas 85

Notas 118

Informações adicionais 120

♐ Agradecimentos ♐

Gostaria de agradecer às seguintes pessoas:
Clare McCulloch, que ajudou a mudar
o título deste livro com a palavra "num";
meu agradecimento e minha gratidão sempre a
acompanharão, bem como a seus sonhos.
Mabel, Jessica e Usha, por sua ajuda
homeopática e sua compreensão.
Laura e Mandy, por sua amizade.
Donna Cunningham, por sua generosa
ajuda e seus conselhos.
Judy Hall, por sua maravilhosa inspiração sagitariana.
Peter K, pelas viagens de motocicleta.
Alois Treindl, por ser o pisciano que fundou o
maravilhoso site Astro.com.
Judy Ramsell Howard do Bach Centre, por seu incentivo.
John, meu editor, por ser a pessoa que lutou com unhas e
dentes para que este livro fosse publicado,
e toda a equipe da O-Books, inclusive Stuart,
Trevor, Kate, Catherine, Nick, Maria e Mary.

↗ Como acreditar num sagitariano ↗

Minha editora, Elizabeth Radley, por seus toques sutis...
Oksana, Radcliff, Elizabeth, Lucy e
Rose, por seus bem-vindos olhos editoriais.
E finalmente, mas não menos importante,
a meus adoráveis clientes, por suas valiosas contribuições.

♐ Introdução ♐

*Sagitário é o eterno viajante, dedicado à incessante
exploração dos mundos físicos e filosóficos...
Seu símbolo é o centauro, metade homem,
metade animal, uma síntese entre instinto e
pensamento racional, capaz de dar um salto espontâneo
e intuitivo para o desconhecido, levando-o sempre para a frente.*[1]
– Judy Hall

Por que o Título deste Livro?

Não tive a ideia de escrever doze livros astrológicos. Comecei apenas com um, que era sobre meu próprio signo e intitulado *Como Sobreviver a um Pisciano*, para ajudar as pessoas que vivem com piscianos a entender esse signo em particular. No entanto, depois que o livro foi escrito e publicado, amigos e clientes me perguntaram se eu ia escrever outro volume sobre o signo *deles*, e foi nesse momento que percebi que tinha me envolvido em um projeto um tanto quanto demorado!

E como tinha começado com o último signo do Zodíaco, pensei que seria melhor ir de trás para a frente. Assim, escrevi *Como se Relacionar com um Aquariano* e *Como Animar um Capricorniano*, e agora estou aqui, com o nono signo do Zodíaco, Sagitário.

O que tornou a redação deste livro mais pessoal foi o fato de meu querido e falecido pai ser de Sagitário, assim como alguns de meus amigos. Conhecer bem uma pessoa facilita muito escrever algo sobre seu signo. Há pontos a favor e contra escrever alguma coisa sobre alguém que morreu, pois evoca muitas lembranças antigas. E como meu pai faleceu quando eu tinha apenas 22 anos, muito tempo se passou desde nosso convívio, por isso me desculpe se as lembranças que tenho dele não forem as mesmas que as suas.

É estranho, mas quando meu pai se achava num estágio terminal, fiquei amiga de outro sagitariano, que ainda está na minha vida... embora ele preferisse não estar! Isso não quer dizer que essa pessoa em particular substituiu meu pai, mas com certeza preencheu uma lacuna astrológica em minha vida.

Ele também não acredita em astrologia.

Seu único comentário sobre o assunto, depois de ter dito como essa coisa toda era ridícula, foi:

"Bem, pelo menos você ganha a vida com ela!"

E o que temos aí é um comentário sagitariano típico. Direto ao ponto, sem floreios, sem sutilezas, dito tal como é. Ele tem razão. Ganho mesmo a vida com astrologia, mas não tanto quanto ganhava na minha atividade no varejo. Na verdade, eu ganhava bem mais levando caixas de meias para a C&A do que já ganhei na minha carreira atual. Contudo agora me divirto muito mais, algo que suplanta completamente as limitações financeiras.

♐ Introdução ♐

E por que o sagitariano sente a necessidade de dizer as coisas tal como são? Para realçar o que é absolutamente óbvio? Para tirar o seu fôlego com comentários aparentemente rudes ou, no mínimo, nada sutis?

Certa vez, meu pai soltou uma ótima. Nossa prima leonina foi nos visitar, e quando papai a recebeu à porta, ele disse: "Você está parecendo muito gorda!". Foi estranho, pois meu pai também era gordo e isso *não é* o tipo de coisa que se diz para uma leonina.

Ele não deixava de ter razão, pois minha prima tinha mesmo engordado um pouco, mas ele precisava ter destacado isso? O fato deve ter provocado o caos na Lua dele, em Libra, que sempre faz questão de ser educada. Entretanto, apesar de minha prima ter ficado um pouco aborrecida com o comentário, a visita transcorreu de modo perfeitamente agradável e ninguém ficou mal-humorado. Não sei como ele conseguiu isso, mas conseguiu, e espero que a pessoa em questão tenha se esquecido completamente do episódio, e explico a razão.

Sagitário tem uma energia tão agradável, para cima, contagiante, alegre, que é impossível não ficar animado com aquilo que o deixa entusiasmado no momento. Regido pelo benévolo Júpiter, rei dos deuses, sobre o qual vamos falar logo adiante, Sagitário quer levá-lo até um lugar de encantamento, um lugar que o fará dizer: "Uau!".

E é sobre esse "uau" que vamos falar neste livro.

Antes de podermos compreender o signo de Sagitário, precisamos aprender um pouco de astrologia, saber de onde veio e onde ela está hoje.

Astrologia é a ciência que explora a ação dos corpos celestes sobre objetos animados e inanimados, e as reações desses a tais influências.[2]

A Astrologia data do início da civilização humana e deu origem à Astronomia; durante muitos anos, foram uma única ciência. A Astrologia moderna surgiu na região chamada antigamente de Suméria e hoje conhecida como Iraque.

> As pessoas de lá, que chamavam sua terra de Suméria, de forma súbita e inexplicável começaram a construir grandes cidades muradas com tijolos secos ao sol nas margens de dois grandes rios (Tigre e Eufrates)... Com o tempo, a riqueza crescente das cidades levou à formação de uma classe sacerdotal não produtiva, que teve a oportunidade e o estímulo para estudar as estrelas. Esses homens foram os primeiros astrólogos.[3]

O historiador Christopher McIntosh diz, em seu livro *The Astrologers and Their Creed*:

> Os sacerdotes desse reino fizeram a descoberta que se transformou no que hoje chamamos de astronomia e no sistema zodiacal de planetas que hoje chamamos de astrologia. Durante muitas gerações, eles registraram minuciosamente os movimentos do corpos celestes. E acabaram descobrindo, graças a cálculos cuidadosos, que, além do Sol e da Lua, outros cinco planetas visíveis se moviam em direções específicas todos os dias. Eram os planetas que hoje chamamos de Mercúrio, Vênus, Marte, Júpiter e Saturno.
>
> Os sacerdotes viviam reclusos em mosteiros adjacentes a imensas torres piramidais de observação chamadas zigurates. Todos os dias, eles observavam o movimento dos planetas e anotavam fenômenos terrestres correspondentes, como inundações e rebeliões. Eles chegaram à conclusão de que as leis que governavam

os movimentos das estrelas e dos planetas também governavam eventos na Terra.

No começo, as estrelas e os planetas eram considerados deuses de verdade. Mais tarde, quando a religião ficou mais sofisticada, as duas ideias foram separadas e desenvolveu-se a crença de que o deus "governava" o planeta correspondente.

Gradualmente, foi se formando um sistema altamente complexo no qual cada planeta tinha um conjunto específico de propriedades. Esse sistema foi desenvolvido em parte por meio dos relatórios dos sacerdotes e em parte graças às características naturais dos planetas. Viu-se que Marte parecia avermelhado, e por isso foi identificado com o deus Nergal, a divindade ígnea da guerra e da destruição.

Vênus, identificado pelos sumérios como sua deusa Inanna, era o planeta mais destacado nas manhãs, como se desse à luz o dia. Portanto tornou-se o planeta associado às qualidades femininas do amor, da gentileza e da reprodução.

A observação dos planetas pelos sumérios era basicamente um ato religioso. Os planetas eram seus deuses e cada objeto visível era associado a um ser espiritual invisível que julgava suas ações, abençoava-os com boa sorte ou lhes enviava tribulações.[4]

Um leve caso de projeção, mas mesmo assim os planetas ajudavam os sumérios a desenvolver algum sentido e significado para sua existência à medida que eles aprendiam a lidar com terras e com a agricultura, e com os aspectos mais mundanos da vida. Tendo controlado as questões práticas da vida, agora, eles queriam explorar seu lado espiritual. A Astrologia e o estudo dos planetas permitiram-lhes fazer isso.

Os sacerdotes sumérios fizeram associações entre eventos terrenos como enchentes e carestias e uma fase específica da Lua, uma "estrela" noturna ou a aparição de um cometa. Após algum tempo, perceberam que esses "corpos celestes" tinham vários ciclos, e foi possível para eles determinar matematicamente quando, por exemplo, a Lua passaria por um eclipse, para que pudessem prever certos eventos. Essas informações eram reservadas apenas ao rei, e não distribuídas em escala maciça como são hoje.

A Astrologia não aconteceu da noite para o dia. Começou com observações, algo que se perdeu um pouco no mundo moderno. Hoje não temos tempo para olhar, aguardar e observar. Lemos a respeito de alguma coisa, vemos na TV, saímos para comprar e esperamos – "bingo!" – que nossos problemas desapareçam. O tempo para a contemplação e a observação é reservado aos monges tibetanos ou às pessoas clinicamente deprimidas.

Na época medieval, os astrólogos também eram astrônomos. Eles sabiam onde estavam as estrelas e os planetas, além de serem educados e alfabetizados. Com o advento das escolas e dos computadores, agora podemos desfrutar do trabalho árduo dessas pessoas virando uma página ou clicando com um mouse, mas nada vai substituir a observação das pessoas e do modo como interagem umas com as outras.

E é com esse "olhar observador" que vamos estudar o nono signo do Zodíaco, suas crenças e saber por que acreditar *nele* é tão importante.

Mary L. English
Bath, 2011

Capítulo 1

♐ O signo ♐

*Sagitário precisa de tempo para ponderar,
espaço para assimilar e formular um sistema de crenças
que oferece um modo de Ser. Ele precisa vivenciar suas crenças
através da Existência. Um centauro que fala uma coisa e
faz outra com relação à ética é uma casca vazia,
sem propósito e indigno de confiança. O sagitariano que é
aquilo em que acredita é um sábio, que conduz os
homens para o conhecimento de si mesmos,
de seu mundo e de outras dimensões da existência.*[5]

– Judy Hall, sagitariana, *The Karmic Journey*

Sagitário é o nono signo do Zodíaco. Para que alguém seja chamado de sagitariano deve ter nascido entre determinadas datas, quando o Sol estava no signo de Sagitário. Quando dizemos "no signo", isso significa na verdade que o Sol (literalmente) estava numa parte do céu que chamamos de Sagitário. A astrologia não é complicada, desde que você capte as ideias básicas, e uma delas é que dividimos o céu em doze partes iguais, que começam no ponto de Áries na primavera.* Esse pedaço do céu, calculado astronomicamente, é o início do Zodíaco.

Os antigos babilônios deduziram esses pedaços do céu usando as constelações estelares, mas como isso ocorreu centenas de anos atrás, os planetas se deslocaram em suas órbitas e as constelações não se ajustam às divisões do céu.

Mas não se preocupe!

No que nos diz respeito, o céu ainda pode ser dividido igualmente usando o primeiro dia da primavera como ponto de partida... e a nove segmentos a contar dele fica nosso amigo Sagitário. As datas em que isso acontece variam de ano para ano, mas geralmente se dão entre 22 de novembro e 21 de dezembro.

Vamos usar um recurso on-line, e por isso você pode obter essas informações com precisão; para o momento, servem como guia aproximado.

Sagitário é regido por um planeta chamado Júpiter. Cada signo estelar do Zodíaco tem um planeta que cuida dele, que chamamos de seu "regente". É uma espécie de categorização de cada signo, que só se deu em função da amplitude da língua inglesa. Porém vai fazer mais sentido depois que eu falar um pouco do planeta Júpiter.

Rei dos Planetas

Diferentemente de Urano, Netuno e Plutão, Júpiter nunca foi "descoberto", pois até os babilônios, que em primeiro lugar instigaram a astrologia, podiam vê-lo da Terra a olho nu.

---

* A autora se refere ao Hemisfério Norte. (N. do T.)

♐ O signo ♐

Os astrônomos chamam Júpiter de "inquestionável rei dos planetas", pois é o primeiro dos chamados gigantes de gás.

Ele é muito grande e é um dos objetos celestes mais brilhantes. Júpiter brilha porque reflete a luz do Sol, mas emite mais do que o dobro da energia que recebe do Sol e é um dos objetos mais ruidosos do céu.

Além disso, tem um poderoso campo magnético.

Enquanto escrevia este livro, Júpiter estava bem visível no céu noturno no signo de Peixes, e passei várias noites fotografando-o quando ele se alinhou com a Lua. É espantoso pensar que, embora Júpiter esteja entre 893 milhões e 964 milhões de quilômetros da Terra, ainda posso vê-lo do meu quintal.

Lembrando que a Terra em si tem (no Equador) 12.756 quilômetros de diâmetro, então Júpiter fica a mais de 70.006 vezes o diâmetro da Terra de distância de nós, e mesmo assim ainda consigo vê-lo. Imagino, portanto, que ele deva ser bem grande!

Gigante de Gás

Júpiter é formado pelos gases hidrogênio e hélio com um pouco de metano, e por isso não tem uma superfície sólida sobre a qual se possa caminhar, como a Lua. Esses gases formam belas faixas horizontais em sua superfície. Ele gira tão depressa que faz uma rotação completa a cada dez horas, o que nos leva a supor que ficaríamos mais velhos bem depressa se morássemos lá!

Em torno dele, giram 63 satélites, quatro dos quais são chamados de luas e podem ser vistos por binóculos, parecendo-se com um pequeno colar de pérolas.

Bem, a Astrologia toma a descrição de um planeta, mistura-a com algumas palavras-chave e, "bingo", produz seus atributos.

Então...

Como Júpiter é um gigante gasoso, falamos em Astrologia que ele amplia e torna maiores as coisas com as quais está conectado. Alguém que tem Júpiter perto do signo solar será dessas pessoas propensas a "exagerar" aquilo que faz.

Também usamos algumas histórias dos mitos e das lendas (essa é a parte de que gosto) e juntamo-las ao conjunto. Nos mitos gregos, Júpiter era chamado de Zeus, e Eve Jackson, em seu livro *Jupiter: An Astrologer's Guide*, descreve-o deste modo:

> Zeus costuma ser retratado como um homem de meia-idade, barbudo e imponente, usando sua égide ou seu manto de pele de cabra do poder divino e uma capa, ora azul-celeste, ora azul-escuro como o céu noturno, salpicada de estrelas. Entre seus títulos, temos Rei, Salvador, Pai, Ancestral, Bondoso, Amigo, Doador da Completude, Deus do Matrimônio, Protetor dos Estranhos, Conselheiro, Agregador de Nuvens, Trovão, Protetor dos Juramentos.

Assim, temos "alguém" que é uma figura paterna; amigável, bondoso e filosófico... mas que, quando está num dia ruim, é capaz de lançar raios e assustar os nativos.

Quando os babilônios imaginaram Júpiter, no princípio, chamaram-no de Marduk, filho do Deus Sol. Nas lendas da época, ele organizou o caos do universo, criou as constelações, determinou as linhas limítrofes do ano fixo e ainda:

> Estabeleceu três estrelas para cada um dos doze meses.

Um sujeito bem ocupado!

♐ O signo ♐

Quando a Astrologia viajou pelo mundo, de leste para oeste, através da Grécia, e desenvolveu-se e mudou nesse processo, Júpiter tornou-se o que é hoje, o Grande Benéfico. Está aí para nos orientar e nos ajudar em nossa jornada de vida, em nosso caminho espiritual.

Mas não quero que você fique com a ideia de que TODOS os sagitarianos veneram uma divindade ou seguem um sistema de crenças. A coisa não é exatamente assim. Nem todo membro de sua congregação local é sagitariano, e nem todo mundo que anda com a Bíblia na mão o é. Conheço sagitarianos que nunca chegaram a pensar na religião, mas tendem a ter aquilo que chamo de substituto religioso, como computadores ou algum esporte; alguma coisa que eles *tratam* como se fosse religião, mas que não é vista desse modo.

Meu pai era de Sagitário e um católico fervoroso. Seus pais e avós e toda a nossa família que emigrou da Irlanda para a Inglaterra eram católicos, e ele nunca mudaria isso. Adorava sua religião e nunca o ouvi questionando-a deste ou daquele modo.

Eu não compartilhava de seu entusiasmo. Na minha cabeça, católicos (especialmente as freiras da minha escola) eram doidos, alguns mais do que os outros. Eu não conseguia ver sua religião do modo que ele a via, e tornei-me pagã, o que sou até hoje.

Porém outros sagitarianos que conheço tratam o futebol ou os computadores como sua religião e fazem vaticínios terríveis a seu respeito se você critica suas teorias prediletas ou "coisas que eles mesmos deduziram". Essas coisas estão acima da crítica.

Por isso, pensei em perguntar a um sagitariano sobre algumas coisas importantes a respeito de sua psiquê.

Temos aqui Mandi, homeopata e atriz nas horas vagas. Ela nasceu e mora em Nova York, é casada e tem dois filhos. Mandi "sobreviveu" à escola católica, é politicamente ativa e sempre se interessou por medicina alternativa.

Eu lhe perguntei: Qual a sua definição de crença?

"Se você consegue visualizar uma coisa na sua mente ou senti-la nos seus ossos, ela existe."

Qual foi a primeira vez em que você teve de acreditar em alguma coisa (em vez de conhecê-la/vivenciá-la... como Papai Noel) e o que aconteceu com essa crença? Você ainda acredita nisso?

"Meu cachorro morreu quando eu tinha 5 anos. Uma freira me disse, quando eu estava com 7 anos, que ele não tinha uma alma imortal e que não estaria esperando por mim no céu. Só consegui pensar em como essa mulher era estúpida, pois eu sabia que ele estaria esperando por mim no céu. E ainda acredito nisso... que tudo que existe tem uma força vital e existe para sempre, em alguma forma."

Qual a sua tendência religiosa/espiritual?

"A melhor definição que posso dar é: pagã renascida. Ou talvez Wicca de final de semana."

Qual é a religião de seus pais, se é que seguiam uma?

"Católica."

Numa escala percentual (100% sendo o máximo), qual o seu grau de otimismo quanto à vida?

"95%... É muito difícil, para mim, não ver o potencial em tudo."

O que a deixa irritada?

"Quando as pessoas são más de propósito. Não tolero a maldade. E pessoas que me dizem o que posso e o que não posso fazer. Nunca me diga que não posso fazer isto ou aquilo."

O que a deixa feliz?

"Meus filhos. Uma boa peça de teatro. Uma boa refeição com bons amigos. Ver lugares novos, coisas novas. E um orgasmo daqueles de gritar."

Perceba a falta de sutileza. Perceba como ela se descreve e as palavras que emprega. São pontuais, sem adornos. Ela diz as coisas como são, de modo animado, positivo. Não há rancores aqui. As freiras estavam erradas, ela estava certa... ponto final!

Descrições Astrológicas

Antes de descrevermos efetivamente um sagitariano, temos de levar em consideração o que os astrólogos falaram dos sagitarianos no passado. Será que hoje o sagitariano é a mesma pessoa?

Vamos ver o que Herbert T. Waite, autor de *The New Waite's Compendium of Natal Astrology* (publicado originalmente em 1917, com outra edição publicada em 1953 por Colin Evans, e atualizado em 1967 por Brian Gardener), acha dos sagitarianos:

> As pessoas de Sagitário são otimistas, alegres, honradas, leais, independentes, empreendedoras e muito ativas. Possuem o dom natural da profecia e uma maravilhosa intuição. A classe superior de Sagitário combina um senso agudo de justiça com uma natureza filosófica, inatamente religiosa, bondosa e caridosa. As pessoas parecem gravitar em sua direção para pedir orientação sobre questões espirituais e materiais... Têm o maior prazer na vida quando mostram aos outros que Tudo é Lei, e que toda a dor e a discórdia devem-se ao fato de que essa grande verdade ainda precisa ser compreendida intimamente pela maioria da humanidade... em seu pior, encontramos os bajuladores e hipócritas, principalmente nos quadros da Igreja, da lei e da política, pois constituem sua propensão natural.

É um retrato elogioso e tanto para a "classe superior"... mas nem tanto para o "seu pior"...

Vejamos o que Linda Goodman diz em seu *Linda Goodman's Sun Signs*:

> Aquilo que está na mente e no coração do arqueiro aparece quase no mesmo instante em seus lábios. Ele é tão franco e sincero quanto uma criança de 6 anos. Você pode usar o antigo provérbio "Se quiser a verdade, procure uma criança" e trocá-lo por "Se quiser a verdade, procure um sagitariano"... Poucas pessoas conseguem ficar magoadas por muito tempo com o arqueiro, pois ele é nitidamente livre de más intenções. Você verá este idealista amá-

vel, querido e inteligente em qualquer hora ou em qualquer lugar... Raro é o sagitariano que não tem um jogo de malas de grife. Eles adoram viajar e costumam ter pelo menos uma mala grande, surrada por centenas de viagens, pronta para uso imediato.

Agora, a imagem está ficando mais clara.

Vamos conferir o que disseram Marion D. March e Joan McEvers em seu *The Only Way to Learn Astrology, Volume 1*, de 1976:*

> honesto, filosófico, amante da liberdade, tolerante, otimista, entusiástico, tagarela, autoindulgente, brusco, intrometido.

Parece haver um denominador comum em tudo isso.

Vamos perguntar a Felix Lyle e ver o que ele pensou em seu *The Instant Astrologer*, de 1998:

> Como sugere o símbolo do signo, o centauro, metade humano, metade cavalo, Sagitário tem uma natureza nitidamente dupla. Uma metade representa a razão – a mente superior sondando o universo, procurando significados – enquanto a outra simboliza a paixão dos instintos. Essa última faceta de Sagitário quer simplesmente "trotar por aí", e de vez em quando o faz de maneira absolutamente devassa e libertina. O grande dilema desse signo espirituoso e mutável, portanto, é saber se está sendo dirigido pela cabeça de um homem ou pelo quadril de um cavalo.

---

* *Curso Básico de Astrologia*, publicado pela Editora Pensamento, São Paulo, 1988. (N. do T.)

Caramba, eu não tinha pensado no elemento do cavalo. É verdade isso?

Finalmente, vamos ver o que disse Rae Orion, em seu livro maravilhosamente útil *Astrology for Dummies,* de 1999:

> *Independente, honesto e imbuído da noção de possibilidades, você se sente mais vivo quando está tendo uma aventura no mundo.*

Creio que, depois de ler essas descrições, podemos dizer com segurança que as palavras-chave mais importantes que descrevem Sagitário são: aventureiro, filosófico, independente e... sem diplomacia.

Aventureiro

Para entender o sagitariano, antes de tudo você precisa compreender sua principal motivação. Num nível bem básico, eles adoram viajar, e quanto mais longe, melhor. Meu pai passava meses longe de casa, percorrendo o mundo como gerente de vendas de uma grande indústria farmacêutica. Ele adorava falar dos lugares que tinha visitado, dos pratos que tinha comido e das coisas que tinha explorado. Cada cidade tinha sua história, que ele contava com entusiasmo e empolgação. Como ele era poliglota e gostava do desafio de novas línguas, sentia-se "em casa" onde quer que estivesse.

Matthew mora em Massachusetts, nos Estados Unidos, é formado em matemática e trabalha com software de computadores. Ele fala um pouco sobre os motivos pelos quais gosta ou gostava tanto de viajar:

♐ O signo ♐

"Sempre achei que o ato de viajar me proporcionava perspectivas de vida. Antes, adorava fazê-lo. Agora me tornei mais caseiro, porque as viagens aéreas ficaram maçantes com essa história de segurança etc. A mudança de atitude deve-se em parte também a anos de viagens de negócios".

Depois, perguntei-lhe do que ele mais gostava nas viagens.

"Gosto de longos passeios de carro nas férias. A sensação proporcionada por lugares diferentes. Algumas viagens aéreas de férias... mesmo efeito. Viagens nacionais e internacionais a trabalho, a exposição a culturas diferentes. Não falar a língua local e saber tentar me expressar... a percepção acentuada que tenta compensar o problema do idioma. Comidas diferentes. Entre outras coisas".

Ele gosta é das diferenças. Entrar num avião e ir para um lugar que ele não conhece.

Só para ouvir os dois lados da história, perguntei a uma jovem sobre sua experiência com viagens.

Louise é astróloga profissional e mora no Novo México, Estados Unidos. Seu Ascendente é Escorpião e seu Sol e sua Lua estão em Sagitário.

"Sempre gostei de viajar. Quando era novinha, era fascinada por aeroportos. E ainda sou! A ideia de entrar num avião e ir para um lugar completamente novo... Para um sagitariano, isso é a liberdade, a falta de restrições, o prazer de explorar culturas diferentes etc. Hoje, faço mais viagens metafísicas, que também adoro. Aplicam-se os mesmos temas sagitarianos: liberdade e exploração".

Assim, para Louise, a questão é "ir para um lugar completamente novo". Tanto ela quanto Matthew gostam de culturas diferentes e da sensação de empolgação proporcionada por essa "novidade".

Marie é instrutora particular e mora em Los Angeles, na Califórnia, com seu filho. Seu Ascendente é Sagitário. Ela tem muito a falar sobre o amor pelas viagens.

> *"Em primeiro lugar, adoro ver a variedade de topografias, as cores, rochas, plantas e formas que a Terra tem para oferecer. Consigo até captar a infinitude do Universo e a insignificância de minha vida no grandioso esquema de elementos quando estou contemplando as formações rochosas de um bilhão de anos no sul de Utah e observando os eventos, o calor, a umidade, o clima e os fenômenos geológicos que ocorreram para produzir as magníficas cores, estrias e ondulações nas rochas... sem falar nas eras que decorreram e nos fósseis e infinitos mistérios que estão enterrados nas rochas do planeta todo. Isso tudo é extraordinário. Para mim, o tempo parece incompreensível quando viajo para alguns lugares onde posso conceber a magnitude da vida".*

Perceba que ela usa as palavras "magnitude da vida". Para ela, a vida não é simples e tranquila...

> *"Aprendi tanto mais sobre fé, perspectivas, humanidade, vida e Deus quanto mais eu viajei. Senti-me mais conectada a meu criador na beira de um penhasco do Grand Canyon do que em uma igreja. A sensação de deixar o que é familiar é um caminho que conduz à vivência da fé. Especialmente se você, como eu, tende a atravessar os Estados Unidos sem um mapa ou um roteiro planeja-*

do, o que fiz com certa frequência. Dirigir é vital para mim. Quanto mais longe, melhor. Preciso dessas escapadas para ter novas perspectivas, para me tirar do meu modo limitado de pensar na vida. Sinceramente, fico perturbada se não viajo uma vez a cada dois meses. Há dias em que sinto necessidade de ver até que distância consigo dirigir em qualquer direção, só para sair da minha cabeça ou de um circuito de energia. Já atravessei o país dirigindo, fui de Chicago até a Califórnia por uma rota diferente de cada vez, fascinada com as surpresas da vida. Adoro surpresas, outro motivo pelo qual gosto de viajar. E poucos lugares deixam de me oferecer algo que eu não esperava, agradável ou não".

Portanto, para Marie, viajar a ajuda a parar de ter uma visão limitada da vida, a "sair de sua cabeça" e a se sentir mais conectada "com o criador".

Isso é forte. Para ela, viajar não é só pegar a estrada e dar um pulinho até um restaurante ou ir a um bosque no campo para tomar chá com os amigos. Viajar dá *significado* à sua vida.

Depois, perguntei a Steve, que tem 48 anos e trabalha numa agência de publicidade em Brisbane, na Austrália, qual sua opinião sobre viagens. Ele é de Sagitário com a Lua em Libra.

"Para mim, viajar não é mais tão interessante quanto antes. Lembro-me da primeira vez em que viajei para o exterior, essa foi uma verdadeira aventura. Não foi apenas uma viagem, fui morar em outro país, embora tenha ido com dois novos amigos que conheci no meu trabalho e não com outros de minha rede habitual de amigos. Um estava sendo transferido para um novo cargo, e o outro era um amigo dele, surfista, que queria conhecer novos horizontes. Eu tinha passado um ano procurando emprego num período de reces-

são e outros dezoito meses trabalhando feito um condenado. Eu queria mudar. Tomei rapidamente a decisão de acompanhá-los e, mais ou menos um mês depois, partimos.

Entrar naquele avião foi como abrir um livro ou começar um novo capítulo. Foi assim que vi como era viajar, com a empolgação e a expectativa de iniciar um novo capítulo em minha vida. Como embarcar em outro estilo de vida completamente diferente, mais expansivo, com novas experiências; de certo modo, eu também era uma nova pessoa, pois estava livre para ser eu mesmo, sem me sentir pressionado por colegas ou por expectativas, sem histórias ou bagagens a me limitar, além daquelas que eu mesmo carregava e que não eram muitas. Quem poderia saber as oportunidades que o amanhã traria? Estar sentado naquele avião que decolava me deu a sensação mais maravilhosa e excitante de expectativa e liberdade. Não era apenas um livro que eu estava lendo. Eu estava vivendo aquilo".

Para Steve, portanto, viajar para um lugar novo deu-lhe a oportunidade de viver uma nova vida, começar do zero, fazer de si mesmo uma nova pessoa, "uma verdadeira aventura". Ele também se sentiu "livre para ser eu mesmo", o que vamos analisar quando chegarmos a "Independente"...

Filosófico

Meu *Dicionário Oxford* de inglês contemporâneo define filosofia como "o uso da razão e de argumentos na busca pela verdade e pelo conhecimento da realidade, especialmente as causas e a natureza das coisas, e os princípios que governam a existência, a percepção, o comportamento humano e o universo material". Ele também define filosófico como "hábil em ou dedicado à filosofia".

↗ O signo ↗

William Blake, poeta inglês, sagitariano com sensíveis Ascendente e Lua em Câncer, deve ter produzido, em seu poema *Augúrios de Inocência*, um dos ditados filosóficos mais célebres:

Para ver um Mundo no Grão de Areia
E o Céu numa Flor do Campo
Segure o Infinito na palma de sua mão
E a Eternidade numa hora[6]

Ele descreve depois como feridas, abusos, mortes, ciúmes, envenenamento e troças sobre seres sencientes e aqueles que sofrem de pobreza "deformam a raça humana". Na minha cabeça, não dá para ser mais filosófico do que isso.

Isso não quer dizer que os sagitarianos sejam filósofos do ponto de vista oficial ou profissional (estes costumam ser de Touro ou de Áries), mas que têm a capacidade de resumir, de forma sucinta, alguma coisa que costuma ser confusa. Essa capacidade de "dizer como é a coisa" é que é típica.

Quando já estava com este livro pela metade, por se tratar de um volume sobre Sagitário e sabedoria filosófica, pensei que deveria fazer um curso avançado de filosofia, achando – erroneamente – que descobriria diversos filósofos desse signo. Não foi o que aconteceu. Estudar filosofia hoje é um procedimento acadêmico e, embora seja extremamente interessante, trata mais de conseguirmos defender um ponto de vista do que de falar das maravilhas da vida.

Porém você pode estar certo de que seu sagitariano médio, ou não tão médio, terá sua própria "filosofia de vida", e você poderá ver isso ao longo dos Capítulos 3, 4 e 5, nos quais incluí breves citações de vários sagitarianos sobre sua visão de vida.

♐ Como acreditar num sagitariano ♐

Noël Coward, um artista sagitariano maravilhosamente engraçado com Ascendente em Libra (educado) e Lua em Gêmeos (tagarela), ao ser perguntado em 1949 sobre sua filosofia de vida, respondeu:

"Minha filosofia continua simples, como sempre. Gosto de fumar, beber, praticar intercurso sexual moderadamente e numa escala decrescente, ler e escrever (e não de aritmética). Tenho uma dedicação altruísta pelo bem-estar e pelas realizações de Noël Coward... Apesar de minha atitude espiritual nem um pouco regenerada, sou bondoso e simpático com todos e ainda sou atencioso e dedicado à minha querida e velha mãe".

Outra descrição de filosofia é seu significado original em grego, "amor à sabedoria". Pois este é o ponto: os sagitarianos adoram a sabedoria e a busca da sabedoria, seja ela qual for atualmente.

Uma pessoa que é muito inspiradora para mim em termos musicais é Ludovico Einaudi, compositor italiano. Ele tem Ascendente em Aquário, Sol na décima casa e a Lua no escorregadio signo de Peixes. (Sei disso porque eu lhe perguntei sua hora de nascimento quando o conheci em Bristol.)

Veja esta passagem dele conversando com Tony Watts sobre seu álbum *Nightbook*:

"Tive a ideia da noite como um lugar no qual todos os pensamentos que você não teve tempo de desenvolver durante o dia podem ser explorados. São portas diferentes de experiência. E a música leva você por essas portas, para que você entre em contato com os pensamentos numa zona infinita".

"Toda a minha música é uma viagem... Música que ajuda você a viajar para dentro de si mesmo... a ouvir aquilo que está lá dentro. As respostas a nossas perguntas que estão esperando para ser ouvidas desde que bloqueemos o burburinho da vida cotidiana e nos sintonizemos com o nosso íntimo".

Independente

*"Embora eu seja independente, adoro a companhia masculina.
Quero um companheiro que queira ser meu igual,
e não queira me dominar ou desaparecer sob mim."*
Mulher de Sagitário num site de namoros da internet

Diferentemente de um aquariano, que precisa se sentir mentalmente livre para pensar em coisas estranhas e amalucadas, o senso de liberdade do sagitariano desenvolve-se por meio de seu amor por viagens longas e pelo estudo de outras culturas. Seu amor pela liberdade pode fazer com que não tenha pressa *nenhuma* para se casar, a menos que encontre um parceiro que goste de viajar com ele ou permita que ele o faça sozinho.

Meu *Dicionário Oxford* de inglês contemporâneo define independente como: *"que não depende de autoridade ou controle; autogovernado; que não depende de outra coisa para ter validade etc., ou de outra pessoa para ter uma opinião ou sustento; que não deseja ter obrigações para com os outros".*

Essas frases curtas resumem de maneira elegante as atitudes de nossos amigos sagitarianos com relação à independência. Definitivamente, eles *não* gostam que lhes digam o que fazer, e por isso passam um bom tempo dizendo *aos outros* o que eles deveriam estar fazendo.

♐ Como acreditar num sagitariano ♐

Se você pensar em alguns sagitarianos famosos como Frank Sinatra, Beethoven, Edith Piaf, Britney Spears, Walt Disney, Noël Coward, Woody Allen, Tina Turner, Winston Churchill e Bruce Lee, a imagem que vem à mente é a de alguém que é dono de seu nariz e dá as ordens, em vez de recebê-las! Sua independência não é inamistosa ou malvista; é apenas o desejo profundo de ter a liberdade de fazer o que querem.

Quando questionaram a sagitariana Jane Fonda, com Ascendente em Capricórnio (responsável/séria), Lua em Leão (gosta de brilhar), sobre suas posições feministas em seu livro *My Life So Far*, ela mencionou a razão pela qual o havia escrito:

"Um dos motivos pelos quais escrevi o livro foi querer mostrar que você não precisa depender financeiramente de um homem – você pode ser famosa, ter sucesso e independência financeira... e ainda sentir que, se não está com um homem, não existe de fato... Meu trabalho foi produzido por uma óptica feminista, e leio os livros... mas no meu corpo, no meu centro, eu não podia ser uma feminista corporificada. Pois de certo modo eu sabia que, se fosse, meu marido não teria ficado comigo [risos] e, naturalmente, ele não ficou".[7]

Vemos que ela estava em conflito com sua postura feminista, que não aceitava o fato de estar casada. Bem, estou certa de que é perfeitamente possível estar casada e ser feminista, mas a discussão também envolvia a liberdade financeira. Em seu caso, o dilema estava em seu Sol em Sagitário e Ascendente em Capricórnio. Uma parte dela queria se "comportar", e a outra queria "fazer o que desejasse" e ser livre.

Levou algum tempo para meu pai se "assentar". Quando ele estava com 22 anos, foi mandado para a Índia pelo 5º Regimento

Real de Gurkhas durante a Segunda Guerra Mundial, e, nessa época, as pessoas escreviam cartas umas para as outras. Não havia celulares ou computadores! Meu avô (Libra) e minha avó (Capricórnio) escreviam regularmente para ele. Em abril de 1943, meu avô escreveu um bilhete no final da carta de minha avó:

> *"Estou apenas adicionando algumas linhas à carta de sua mãe para desejar-lhe muita felicidade em sua decisão de unir sua vida à de Maureen. Não a conhecemos, mas tenho absoluta confiança em sua decisão e a certeza de que você agiu com sabedoria. Se você e ela tiverem a mesma cabeça quando esta droga de guerra acabar, espero que se unam e passem muitos e muitos anos felizes juntos".*

Obviamente, papai arranjou uma namorada enquanto estava fora (não tenho ideia de onde ela morava)... mas o relacionamento não durou muito...

Quatro meses depois, meu avô tornou a escrever, mas a carta foi um pouco menos calorosa; na verdade, ele censurava meu pai por não ter escrito antes e também por não ter escrito para sua pretendida!

> *"Caro Noel, espero que você fique tão surpreso ao receber esta minha carta que se digne a nos escrever, pois já faz séculos desde que tivemos notícias suas... Maureen disse em sua última carta que faz tempo que não sabe de sua vida e pareceu magoada com você. Se quiser manter seu relacionamento com ela, você deve escrever com certa frequência, bem como para sua mãe".*

No final das contas, o relacionamento não deu certo, e passaram-se oito anos, mais ou menos, até meu pai decidir se estabelecer, casando-se com minha mãe.

Minha mãe é aquariana, e ela e meu pai se entenderam muito bem. Nunca vi os dois discutindo. No entanto, meu pai ficava longe de casa durante meses, e logo depois de se aposentar, ele morreu; assim, nunca saberemos se eles teriam se desentendido com relação a alguma coisa no futuro, já mais velhos. O que sei é que quando meu pai deixou seu emprego, ainda moço, montou a própria empresa. Ele nem pensou em trabalhar para outras pessoas; tinha seus contatos e saía vendendo cerâmicas inglesas por aí.

Sem Diplomacia

Em muitos sagitarianos, várias dessas características mais irritantes são perdoáveis. Estou convencida de que só um sagitariano consegue dizer e fazer as coisas que faz e ainda manter uma boa imagem.
Esposa ariana de um empresário sagitariano

Costumo me perguntar de onde vem a falta de diplomacia dos sagitarianos, e se ela existe mesmo. Suponho que tenha evoluído, pois para se sentir apaixonado por alguma coisa, e querer passar seu tempo "descobrindo a verdade" no mundo, você precisa ser honesto, e às vezes, com a honestidade, vem a verdade que magoa.

O tipo de verdade que normalmente preferimos evitar.

É um pouco como a história das Roupas Novas do Imperador, na qual os tecelões mal-intencionados fizeram um traje novo com material invisível, mas disseram ao imperador que só os sábios conseguiam ver a roupa, e que os tolos não conseguiam enxergá-la. Assim, é claro que o imperador não queria

↗ O signo ↗

ser considerado um tolo, então ele deu continuidade à farsa. Porém é uma criança que observa o cortejo imperial que diz "O imperador está nu!" – do jeito que as crianças fazem. Com isso, o imperador tem de enfrentar a situação a que o levaram seu orgulho e sua vaidade.

Para outras pessoas da multidão, a criança é considerada, no início, atrevida ou encrenqueira, mas quando todos à sua volta percebem "a verdade", passam a acreditar na versão infantil dos eventos.

Logo, para dizer que um sagitariano não tem diplomacia, precisamos estar falando sobre orgulho, vaidade, engrandecimento pessoal e superioridade, coisas de que (geralmente) o sagitariano não sofre.

Se quisermos a verdade, certos comportamentos terão de ser relevados e ignorados.

Como mencionei na introdução, meu pai era o máximo em polidez e educação (pois tinha a Lua em Libra) e sabia usar garfo e faca e o que dizer para padres, vigários e senhoras, mas quando aparecia alguém na sua frente (nossa prima) que estava mais gorda do que ele se lembrava, ele simplesmente *tinha* de falar disso. E não era um julgamento: era a constatação de um fato.

Prima = Mais gorda = Fato = Verdade

Eis um belo relato de uma jovem que mora num país do Báltico, no norte da Europa:

"Meu tio (irmão de minha mãe, canceriano) é casado com uma sagitariana. É impossível não notá-la. Quando ela está no recinto, todos sabem que ela está presente, qual o seu nome, de onde ela é, e que ela AINDA está lá... Ela gosta de ser o centro das atenções e

não tem vergonha de dizer isso em voz alta. Meu avô era diplomata e conhecia muita gente 'importante', e frequentava muitas festas oficiais. E essas pessoas importantes iam a suas festas de aniversário... E quando meu tio e sua esposa também estavam na reunião (eles moram em outro país, e por isso não estão sempre por perto), havia um escândalo no dia seguinte por causa do comportamento dela, que é pouco apropriado, comentavam que ela não sabia se comportar, que ela deveria pelo menos 'agir normalmente' perto dessas pessoas e coisas do gênero... E sempre me disseram que ela é um mau exemplo..."

Então obviamente a tia dela (adoro tias, veja meu livro *Com se Relacionar com um Aquariano*!) não tem a habilidade social necessária nem o respeito ou a reverência por essas pessoas "grã-finas"...

"Mas ela também tem grandes qualidades. É uma pessoa muito sincera. Por trás desse tipo de comportamento, oculta-se uma grande abertura e honestidade, e até sensibilidade. Quando converso com ela, só nós duas, não em público, ela é uma pessoa completamente diferente. Sabe ouvir, é compreensiva e muito sábia. Quando eu era adolescente, confiava mais nela do que em minha mãe, conversava muito com ela sobre tudo que não ousava falar com minha mãe, e ela me dava ótimos conselhos, pelos quais ainda sou grata. Por causa de seu jeito escandaloso e de sua inquietude, os outros pensam que ela não consegue guardar segredos, mas não é verdade. Sei que ela guardou muitos dos meus. Amo-a por sua honestidade e por ser alguém em quem posso confiar plenamente."

♐ O signo ♐

Milayo é sagitariana (e vamos falar mais dela no Capítulo 8), e seu filho aquariano, Nkera (que conhecemos em *Como se Relacionar com um Aquariano*), fala um pouco sobre o jeito rude de sua mãe:

> *"Ela pode ser brusca a ponto de não ter tato algum, e se alguém tem uma ideia de que ela não gosta, ela diz isso bem depressa, sugerindo alternativas e prontamente mudando de assunto se a pessoa insiste (o que é bem desagradável) ou ficando alucinada (se estiver perdendo a discussão)."*

E eis-nos aqui. Embora o sagitariano possa fazer com que você queira se esconder de vergonha por sua falta de decoro ou por não se portar adequadamente em público, por baixo disso existe alguém que deseja a Verdade e a Sinceridade Absolutas.

Capítulo 2

♐ Como montar um mapa astral ♐

Para o novato, montar um mapa astral pode parecer um desafio assustador. Não é bem assim. Há muitos sites e livros, dentre os quais, este, que podem guiá-lo gentilmente durante o processo de montar um mapa e, o que é mais importante, levá-lo a compreender as informações que ele traz.

A maioria das pessoas que conheço não gosta de gastar dinheiro com coisas que não compreendem, por isso vamos usar um site que tem recursos *on-line* gratuitos. Esse site em especial é suíço, portanto você pode estar certo de que as informações serão precisas e confiáveis. O segredo está em fornecer a informação correta, para que o mapa astral que você vai obter seja preciso.

Mecessitamos de três informações importantes antes de podermos montar um mapa astral.

É necessário saber a data, o local e a hora de nascimento.

De modo geral, as datas para que alguém seja de Sagitário vão de 22 de novembro a 21 de dezembro.

Como a astrologia é baseada no movimento dos planetas, e os planetas se movem o tempo todo, é importante ter um horário de nascimento preciso.

Digamos que seu amigo/parente nasceu às 5h30 da manhã em Londres, na Inglaterra, no dia 22 de novembro de 1985; ele seria Escorpião, mas se tivesse nascido no mesmo lugar, porém às 14h30, seria um sagitariano, pois o Sol mudou de signo nesse dia.

Por isso é muito importante uma hora de nascimento precisa...

AAA = Accuracy Aids Adaptation (a precisão ajuda a adaptação)

Agora, eu gostaria de desfazer um mito. Não existe isso de cúspide. Ou você é de um signo ou é de outro.

Sim, existe uma linha divisória, mas os planetas são calculados considerando-se 30 graus para cada signo, de modo que, somando-se os doze signos, teremos 360 graus, que é a quantidade total de graus num círculo.

Seu sagitariano pode estar a 0° 4 min. de Sagitário, ou a 29° 58 min. de Sagitário, mas ainda será um sagitariano. Há uma grande diferença entre os signos. Escorpião, Sagitário e Capricórnio são muito diferentes, não vamos confundi-los!

Assim, vá ao site www.astro.com e crie uma conta; depois, vá à seção do site chamada "Free Horoscopes" ("horóscopos gratuitos") e procure na parte de baixo da página a seção "Extended Chart Selection" (seleção estendida de mapas).

Clique nesse link.

Vamos montar seu mapa usando um sistema chamado Equal Houses (casas iguais). Isso significa que cada casa ou seção do mapa natal terá o mesmo tamanho. O sistema padrão desse site é chamado Placidus, que cria mapas com todas as casas tortas e desiguais. Sei que é um sistema muito valioso, mas não é o que eu uso.

♐ Como acreditar num sagitariano ♐

Digite os seus dados: data, horário e local de nascimento nas caixas do alto. Se você descer pela página um pouco, vai encontrar a seção chamada **Opções**. Uma é House System (sistema de casas), e nessa caixa você vai ver "default" (padrão). Mude o padrão para Equal e deixe o resto como está.

As linhas no centro do mapa são associações matemáticas fáceis ou desafiadoras entre os planetas do mapa, mas você pode ignorá-las.

Só queremos três informações. O **signo** do **Ascendente**, o **signo** da **Lua** e a **casa** em que o **Sol** está.

Esta é a abreviatura do Ascendente: ASC.

Este é o símbolo do Sol: ☉

Este é o símbolo da Lua: ☾

As casas são numeradas de 1 a 12 no sentido anti-horário.

Eis os símbolos que representam os signos; procure aquele que representa o seu. Eles são chamados de glifos.

Áries ♈
Touro ♉
Gêmeos ♊
Câncer ♋
Leão ♌
Virgem ♍
Libra ♎
Escorpião ♏
Sagitário ♐
Capricórnio ♑
Aquário ♒
Peixes ♓

Os Elementos

Para compreender plenamente o seu sagitariano, você precisa levar em conta o Elemento em que estão seu Ascendente e sua Lua. Cada signo do Zodíaco está associado a um elemento sob o qual ele opera: Terra, Ar, Fogo e Água. Gosto de imaginar que eles atuam em "velocidades" diferentes.

Os signos de **Terra** são **Touro**, **Virgem** e **Capricórnio**.

O Elemento Terra é estável, arraigado e ocupa-se de questões práticas. O sagitariano com muita Terra em seu mapa funciona melhor a uma velocidade bem baixa e constante. Refiro-me a eles no texto como "Terrosos".

Os signos de **Ar** são **Gêmeos**, **Libra** e **Aquário** (que é o "Aguadeiro", mas *não é* um signo de água). O Elemento Ar gosta de ideias, conceitos e pensamentos. Opera numa velocidade maior que a Terra; não é tão rápido quanto o Fogo, porém é mais veloz do que a Água e a Terra. Imagine-o como tendo uma velocidade média.

Os signos de **Fogo** são **Áries**, **Leão** e nosso bom amigo **Sagitário**.

O Elemento Fogo gosta de ação e excitação e pode ser muito impaciente. Sua velocidade é *muito* alta. (Refiro-me a eles como Fogosos, ou seja, do signo de Fogo, e não como destemperados.)

Os signos de **Água** são **Câncer**, **Escorpião** e **Peixes**.

O Elemento Água envolve sentimentos, impressões, pressentimentos e intuição. Opera mais rapidamente do que a Terra, mas não tão rápido quanto o Ar. Sua velocidade seria entre lenta e média.

Capítulo 3

♐ O ascendente ♐

Nome: ♐ Jane Austen Nascida num sábado, 16 de dezembro de 1775 em: Steventon, ING (R.U.) 1e20, 51n38	Hora: 23h45 Hora Universal: 23h50min20s Hora Sideral: 5h26min41s	ASTRO DIENST www.astro.com

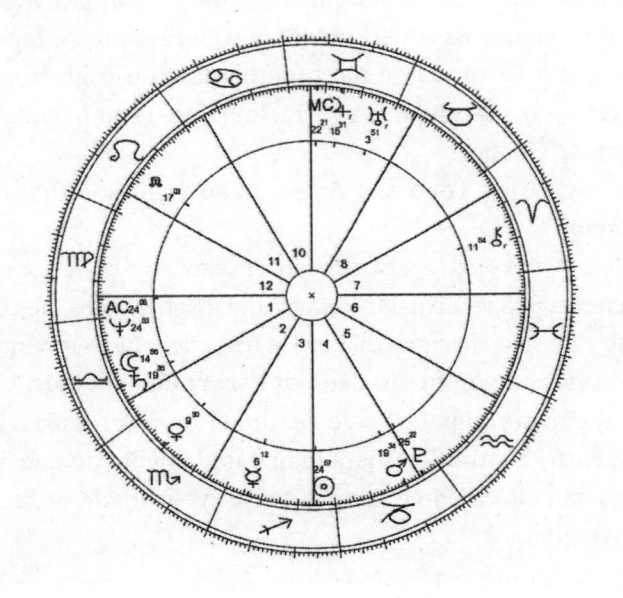

44

⌯ O ascendente ⌯

Em nosso exemplo, Jane Austen tem Ascendente em Virgem. Isso fazia com que ela fosse bastante atenta aos detalhes e uma boa comunicadora, pois Mercúrio, planeta das comunicações, rege Virgem. Como autora de seis romances, dentre os quais *Razão e Sensibilidade* contém mais de 123 mil palavras, uma realização de peso, ela teve a concentração necessária para aprimorar seu ofício.

Como Virgem também é o signo da saúde e da cura, isso significa que ela provavelmente se preocupava com a saúde:

"O coração de cada um está aberto, você sabe, quando acaba de sofrer uma dor intensa ou recupera a bênção da saúde".

Além disso, se estivesse num dia ruim, ela se preocupava demais. Eis Jane escrevendo para sua irmã Cassandra (capricorniana) em 18 de dezembro de 1798:

"Minha mãe continua animada, seu apetite e suas noites estão muito bem, mas seu intestino ainda não se acomodou totalmente, e às vezes ela reclama de uma asma, de edema, de água no peito e de uma disfunção do fígado."[8]

Caramba! Com tanta coisa indo mal numa pessoa, chega-se a imaginar que ela estava à beira da morte – mas a senhora Austen (sua mãe) viveu até a avançada idade de 88 anos, enquanto Jane morreu com apenas 41.

Para descobrir com precisão o Ascendente, você precisa saber a hora exata do nascimento, pois o signo que se eleva no horizonte muda a cada duas horas. Tendo descoberto o Ascendente correto, agora você descobriu o fator de motivação dessa pessoa. Como o Ascendente é determinado pelo momento exato do nascimento, na Astrologia, ele representa o modo como vemos a vida. Para descrever isso, você pode usar palavras como os "óculos" ou o "casaco" que você usa, ou como a "fachada" para o mundo.

A Astrologia vê o signo Ascendente como aquele que provavelmente se expressará automaticamente ou quando estivermos estressados. Além disso, é o signo que sua família verá como seu eu verdadeiro. A maioria das outras pessoas em sua vida verá apenas o seu signo Ascendente e terá a tendência a lidar com você segundo esse signo. Compreender o Ascendente de uma pessoa ajuda-o a entendê-la muito melhor do que se você apenas conhecer seu signo solar.

Ascendente em Áries

Minha ideia de supermulher é alguém
que esfrega seu próprio chão.
– Bette Midler, Sol na oitava casa

Como primeiro signo do Zodíaco e regido por Marte, o deus da guerra, Áries, o Carneiro, quer fazer tudo bem depressa. Não sendo afamado por sua paciência ou pela probabilidade de analisar planos sutis, a coragem de suas convicções vai lhe trazer segurança. Se quiser alguém que movimente céus e terras por você, o Ascendente em Áries se enquadra muito bem.

Ascendente em Touro

*Às vezes, se você tem tudo, não consegue saber
ao certo o que é importante de fato.*
– Christina Onassis, Sol na sétima casa

Touro é um signo de Terra e tem uma energia lenta e firme. Ele quer que seu mundo seja prático, quer ter os pés no chão e estabilidade financeira. Regido por Vênus, a deusa do Amor, é bom lembrar que para ele sexo, sensualidade e o corpo físico são extremamente importantes.

Ascendente em Gêmeos

*A mente é um belo instrumento se você
sabe ser também uma "não mente".*
– Bhagwan Shree Rajneesh (Osho), Sol na sétima casa

O aéreo signo de Gêmeos está na posição ideal para ser um bom comunicador. Regido por Mercúrio, o ágil deus da comunicação, a capacidade de conversar, tuitar, atualizar o celular e o Facebook são sua *raison d'être*. Sua vida será uma constante flutuação de mudanças, novos empregos, novas residências e novas e interessantes amizades.

Ascendente em Câncer

Qual é o preço da experiência? Os homens a compram
em troca de uma canção? Ou a sabedoria por
uma dança na rua? Não, ela é adquirida com o ônus
de tudo aquilo que o homem tem, sua casa, sua esposa e seus filhos.
– William Blake, Sol na quinta casa

Câncer, signo de Água, ocupa-se com a criação e com emoções elevadas. Regido pela Lua, nossa constante luz refletida, o Ascendente em Câncer quer ter certeza de que todos estão seguros e confortáveis. Sujeito a flutuações de humor, emotivo e imbuído de amor por todos os seres vivos, inclusive cãezinhos abandonados e/ou gatinhos fofos, ter uma família e a proximidade dos entes queridos é sua maior prioridade.

Ascendente em Leão

Preciso disso no palco. Preciso de uma explosão de vida.
Para mim, isso é entretenimento.
– Tina Turner, Sol na quarta casa

Leão é um signo de Fogo, e como Rei da Selva precisa de reconhecimento, de tapete vermelho e de uma base de fãs que o adoram. Não dá para não perceber essa combinação; ele ilumina o recinto quando entra. Sorrisos e risos são tudo de que precisa, pois ele é regido pelo Sol, o portador da luz e do brilho do dia.

Ascendente em Virgem

Não sou um desses malucos que lavam as mãos toda hora e põem luvinhas brancas antes de pegar em uma maçaneta ou coisas do gênero. Não chego a esse ponto, mas lavo as mãos durante o tempo que considero suficiente.
– Woody Allen, Sol na quarta casa

Virgem, signo de Terra (regido por nosso amiguinho Mercúrio, cheio de truques), gosta de pôr os pingos nos "ii" e cortar os "tt". Se você não tomar cuidado, sua longa lista de "coisas a fazer", suas preocupações e pequenas fraquezas vão controlar totalmente a sua vida. Como Virgem fica em quadratura a Sagitário, certamente haverá alguns conflitos íntimos a se resolver antes que possam se sentir bem.

Ascendente em Libra

Com amor, você deve seguir em frente e assumir o risco de se magoar... porque o amor é um sentimento espantoso.
– Britney Spears, Sol na terceira casa

Libra é um signo de Ar regido por Vênus, nossa amável deusa, e quer que todos estejam bem e vivam felizes para sempre. Relacionamentos íntimos e pessoais são sua grande prioridade, o que conflita um pouco com os princípios sagitarianos de amor à liberdade. Comunidades, relacionamentos abertos e uma troca equânime de amor e de afeto constituem uma perspectiva complexa.

Ascendente em Escorpião

No que me diz respeito, amor significa brigas,
grandes mentiras e um ou dois tapas na cara.
– Edith Piaf, Sol na segunda casa

Escorpião é um signo de Água e é hábil como poucos em jogos mentais e emocionais. Regido por Plutão, o planeta do poder e da transformação, esse Ascendente procura confiança e lealdade. Entretanto o mundo é um lugar sabidamente imprevisível, o que pode causar medo e uma interminável sucessão de ciúmes, desconfianças e suspeitas.

Ascendente em Sagitário

A música me deixa ligado no palco, e essa é a verdade.
É quase como ser viciado em música.
– Jimi Hendrix, Sol na décima segunda casa

Agora, temos uma dose dupla de Sagitário. Esse signo de Fogo gosta de lançar suas flechas metafóricas pelo céu, a maior distância que puder. Nada consegue deter sua inspiração e o desfrute puro da vida e de todos os seus prazeres.

Ascendente em Capricórnio

Minha mãe se matou quando eu tinha 12 anos.
Eu nunca vou concluir esse relacionamento.
Mas posso tentar entendê-la.
– Jane Fonda, Sol na décima segunda casa

No Ascendente, esse signo de Terra produz um semblante sério e focado. Regido pelo severo Saturno, nada escapa à sua opinião crítica. Soluções sensatas e expectativas realistas fazem parte de sua alegria. Ele também consegue suportar mais reveses do que qualquer outra combinação de signos.

Ascendente em Aquário

Amigo é aquele que lhe dá total liberdade para que você seja você mesmo.
– Jim Morrisson, Sol na décima primeira casa

O amistoso Aquário, regido pelo amalucado Urano, proporciona uma visão de vida efetivamente original. Diversidade e ideias são os motivadores desse Ascendente, e a necessidade de ter amigos com quem compartilhá-las.

Ascendente em Peixes

E você e eu ficamos com a mesma velha questão, a estranheza absoluta e indizível de estarmos aqui, afinal.
– Robin Williamson, Sol na nona casa

Sensível, aquoso, emotivo, o signo de Peixes dá ao sagitariano a visão para perceber coisas que os outros apenas pressentem. Com um Ascendente de Água, nosso sagitariano será um pouco mais capaz de sentir empatia, de se absorver pelos encantos da criação e de querer encontrar "sentido" na vida.

Capítulo 4

♐ A lua ♐

Se o Sol é nosso ego e nossa autoexpressão, a Lua reflete e absorve nosso eu emocional interior, assim como ela faz na "vida real", com a Lua refletindo a luz do Sol e representando o que sentimos. Ela também representa nossa criança interior. Aquela parte de nós que é jovem, brincalhona e precisa de cuidados. Se compreendermos efetivamente nosso signo lunar e permitirmos que receba esses cuidados, sua vida será muito mais feliz.

Os problemas aparecem quando a Lua e o Sol estão em conflito um com o outro. Digamos que seu sagitariano tem a Lua em Capricórnio. Uma parte dele vai querer sair para ter experiências no mundo. O eu interior, porém, vai se sentir bem mais restrito e autocrítico, e vai abortar quaisquer planos. Isso não significa que os humanos tenham dupla personalidade; é que precisamos admitir que somos seres multifacetados e que nossos *eus*, mental e emocional, podem ser completamente diferentes.

Na Astrologia, a Lua muda de signo a cada dois dias, aproximadamente, e por isso na maior parte do tempo é bem fácil localizar seu signo lunar. Em certos dias, porém, a Lua muda de signo, o que pode acontecer em qualquer momento do dia e da noite, motivo pelo qual é importante ter o horário de nascimento correto.

Em nosso exemplo, Jane Austen tinha a Lua em Libra, e para todos os propósitos e quaisquer intenções, era obcecada pelo casamento. Era a sua Lua falando. Embora ela tivesse recebido duas propostas de casamento, recusou-as e nunca se casou. *"Qualquer coisa é preferível ou suportável a se casar sem Afeição."*

Isso não foi muito complicado para ela, pois seu Sol estava na quarta casa e ela se sentiria feliz se sua família estivesse por perto.

As Essências Florais do Dr. Bach

Em 1933, o Dr. Edward Bach, médico homeopata, publicou um pequeno livro chamado *The Twelve Healers and Other Remedies*.* Sua teoria era de que se a perturbação emocional que uma pessoa estivesse sentindo fosse removida, sua "doença" também iria desaparecer. Costumo concordar com esse tipo de pensamento, pois a maioria dos males (exceto ser atropelado por um carro) é precedido por um evento desagradável ou por uma perturbação emocional que faz com que o corpo saia de sua sintonia. Remover o problema emocional e proporcionar alguma estabilidade à vida da pessoa, quando ela está passando por um momento difícil, não faz mal algum, e em certos casos pode melhorar tanto a saúde em geral que a pessoa volta a se sentir bem.

---

* *Os Remédios Florais do Dr. Bach – Incluindo Cura-Te a Ti Mesmo e Os Doze Remédios*, publicado pela Editora Pensamento, São Paulo, 1990.

Conhecer a Essência Floral de Bach que pode ajudar a reduzir certas preocupações e alguns abalos dá a seu sagitariano mais controle sobre a vida dele (e sobre a sua, caso você esteja por perto); citei as palavras exatas do Dr. Bach para cada signo.

Para usar as Essências, pegue duas gotas do concentrado, ponha-as num copo com água e beba. Costumo recomendar que elas sejam colocadas numa pequena garrafa com água para ser ingerida ao longo do dia, pelo menos quatro vezes. No caso de crianças pequenas, faça o mesmo.*

Lembre-se de procurar um médico e/ou orientação profissional caso os sintomas não desapareçam.

Lua em Áries

Coragem é a resistência ao medo,
o domínio do medo, não a ausência de medo.
– Mark Twain

Como Áries é um signo forte e confiante e voltado para a Procura pelo Número Um, seu sagitariano com a Lua em Áries (que também é um signo de Fogo, tornando-o um duplo Fogo) vai gostar de se esparramar à sua volta. Gosta de esportes e de atividades físicas. Ele não será tímido e lhe dirá exatamente como se sente, por isso não pergunte se não quiser saber a verdade.

Essência Floral de Bach *Impatiens*: *"Para os que são rápidos de raciocínio e ação e que desejam que tudo seja feito sem hesitação ou demora".*

---

* No Brasil, geralmente as Essências são vendidas já diluídas em água, com uma colher de *brandy* como conservante. (N. do T.)

Lua em Touro

Creio que todas as mulheres deveriam usar um bom Wonderbra.*
Há muitas maneiras de realçá-los, todo mundo faz isso.
– Christina Aguilera

Como signo de Terra, Touro tem raízes na realidade e gosta dos prazeres físicos da vida. Comida, chocolate, bons vinhos, luxo e indulgências não estão longe. Bom sexo também estará no cardápio. Se tiverem finanças estáveis, estarão repletos das alegrias da vida. A pobreza não se encaixa bem nessa combinação, a menos que tenha propósitos espirituais.

Essência Floral de Bach *Gentian*: *"Para os que se desencorajam facilmente. Podem progredir bem no que se refere às doenças ou questões da vida diária, mas qualquer imprevisto ou obstáculo a seu progresso gera dúvidas e logo se deprimem".*

Lua em Gêmeos

Agora, minhas diferentes personalidades me deixam em paz.
– Anna Freud

O aéreo signo de Gêmeos faz com que esta Lua goste de conversas e de mudanças. Ela se sente melhor se tiver cinquenta projetos em andamento e alguma forma de transporte – bicicleta, lambreta, carro ou moto – para poder "aparecer" quando precisa de inspiração e de acesso a ideias, livros e revistas. A leitura é um deleite, e o fato de ser poliglota ou de ter amigos em

---

* Sutiã que realça os seios. (N. do T.)

diversas culturas produz uma "mente ocupada". Num dia ruim, o signo dos gêmeos toma decisões com dificuldade.

Essência Floral de Bach *Cerato*: *"Para os que não têm confiança suficiente em si mesmos para tomar as próprias decisões".*

Lua em Câncer

Tenho cinco amigos bem próximos mesmo. E saio com eles. Acho que, em Los Angeles, seus amigos tornam-se sua família, e aqui eu tenho uma família realmente boa.
– Jennifer Carpenter

O signo aquático de Câncer ocupa-se com a "mãe", o lar e a lareira doméstica. Ele se sente melhor quando está sendo nutrido emocional e fisicamente. A família é importante. O lugar onde deixa seu chapéu é seu lar, e a pessoa pode sentir um conflito entre o Sol em Sagitário, que deseja liberdade, e a Lua, que gosta da dependência. Como a Lua está em seu signo "natural", ela compreende os sentimentos, que precisam ter o ritmo um pouco reduzido para que a pessoa possa aproveitá-los adequadamente.

Essência Floral de Bach *Clematis*: *"Alimentam esperanças de tempos melhores, quando seus ideais poderão ser realizados".*

↗ A lua ↗

Lua em Leão

A vida é curta demais para ser pequena. O homem nunca é tão viril quanto no momento em que tem emoções profundas, atitudes ousadas e se expressa com franqueza e sem fervor.
– Benjamin Disraeli

Não ignore a ígnea Lua em Leão, você estará em solo instável. Ela adora uma plateia, e quanto maior, melhor! Nada de energias tímidas ou modestas. Tapete vermelho, aplausos entusiasmados, reconhecimento de que ela é maravilhosa. Todo elogio será apreciado. Calor e camaradagem são atributos importantes, e, como é um signo Fixo, as mudanças podem ser mais difíceis.

Essência Floral de Bach *Vervain*: *"Para aqueles que têm ideias e princípios rígidos que consideram certos".*

Lua em Virgem

Só fico doente quando abro mão das drogas.
– Keith Richards

Regida pelo tagarela Mercúrio, a Lua em Virgem adora comunicar-se e, como signo da saúde e da cura, pode se manter focada em seu bem-estar físico. Virgem e Sagitário estão num "aspecto de quadratura" – um conflito interior, o que pode prejudicar sua satisfação. Há sempre alguma coisa incomodando sua psiquê, deixando a mente interior preocupada. Relaxamento e visualizações ajudam a produzir harmonia interior.

Essência Floral de Bach *Centaury*: *"Sua natureza boa as conduz a fazer mais do que a sua parte do trabalho e, ao fazerem isso, negligenciam a própria missão nesta vida".*

Lua em Libra

As intuições da humanidade como um todo declaram
que o casamento pode ser o maior bem da vida.
– Dion Fortune

A Lua aérea de Libra é representada pela balança da justiça, e por isso encontramos aí certo grau de indecisão. Num dia estão bem, no outro, mal. Regida pelo afetuoso planeta Vênus, amor e relacionamentos estão sempre por perto. Ter um parceiro compatível pode/vai ser uma missão de vida, por isso namore com calma para encontrar "aquela pessoa". O senso de justiça é uma preocupação cotidiana, por isso mantenha a integridade.

Essência Floral de Bach *Scleranthus*: *"Para aqueles que sofrem muito por serem incapazes de decidir entre duas coisas, inclinando-se ora para uma, ora para outra".*

Lua em Escorpião

Parei de me preocupar com céticos, mas se eles me
caluniarem ou difamarem, vão acabar nos tribunais.
– Uri Geller

O intenso e aquoso signo de Escorpião deseja encontrar uma verdade na qual possa confiar. Depois de encontrá-la, apega-se a ela para sempre e nunca se desvia de seu caminho. Essa é a Lua que quer chegar ao fundo de seus sentimentos, regida por Plutão, o planeta das transformações. Lembre-se sempre das palavras *profundo* e *significativo* e você compreenderá melhor suas motivações.

Essência Floral de Bach *Chicory*: *"Estão continuamente afirmando o que consideram errado e o fazem com prazer".*

Lua em Sagitário

Descubra o mundo, saiba como funciona, aprenda antropologia e todo tipo de ciência; é um lugar bem interessante este em que vivemos. A evolução é uma ideia realmente fantástica, creio que ainda mais do que a ideia de Deus.

– Randy Newman

Se quiser saber alguma coisa, pergunte a um sagitariano. Se quiser a verdade, com verrugas e outras coisas mais, pergunte a um sagitariano duplo. Ele não vai se preocupar com aquilo que você pensa ou faz, ele acredita na liberdade dele, tanto quanto você acredita na sua. A forma como vão verbalizar os fatos pode deleitar ou destruir, dependendo do seu ponto de vista. Lançar flechas a distância, inspirado por Júpiter, é seu verdadeiro prazer, e talvez você se inspire o suficiente para unir-se a ele.

Essência Floral de Bach *Agrimony*: *"Escondem suas preocupações por trás de seu bom humor e de suas brincadeiras e tentam suportar seu fardo com alegria".*

Lua em Capricórnio

Nunca fui uma pessoa séria... Não sou nada sério,
pois a existência não é séria.
– Bhagwan Shree Rajneesh (Osho)

Por estar num signo de Terra prático e sério, a Lua em Capricórnio se sente melhor quando se defronta com a realidade da vida, e não com seu lado brando. Talvez seja uma Lua um pouco difícil para os sagitarianos, mas ela produziu sucesso duradouro para Kim Basinger e Brad Pitt. É capaz de suportar as duras complexidades da vida sem sucumbir ao desespero excessivo. Quando a negatividade surge, o medo pode se alastrar, por isso busque soluções práticas.

Essência Floral de Bach *Mimulus*: *"Para medo de coisas terrenas: doenças, dor, acidentes, pobreza, escuro, solidão, infortúnio. São os medos da vida diária. As pessoas que necessitam deste medicamento são aquelas que, silenciosa e secretamente, carregam consigo medos sobre os quais não falam a ninguém".*

Lua em Aquário

Quero a liberdade e percebo que o único
meio de obtê-la é parar de infringir a lei.
– Gary Gilmore

Regida pelo amalucado Urano, a Lua aérea em Aquário quer independência e autonomia. Junte a isso o fogoso Sol em Sagitário e você terá alguém que vai viajar até os confins do planeta para obter a liberdade mental. Não se debruce sobre essa pessoa, dê-lhe espaço para respirar e "ser" e você terá um indivíduo feliz, peculiar.

Essência Floral de Bach *Water Violet*: *"Para aqueles que gostam de ficar sozinhos, que são independentes, capazes e autoconfiantes. São indiferentes e seguem seu próprio caminho".*

Lua em Peixes

De fato, estou sozinho de novo...
naturalmente.
– Gilbert O'Sullivan

A aquosa e sensível Lua em Peixes forma outra quadratura conflitante com o Sol em Sagitário. Fadas, anjos e percepções místicas serão companheiros em seu caminho. Num dia bom, essas pessoas acendem uma chama para a sua eterna vela; num dia ruim, será difícil chegar perto delas, pois estarão vagando pelas águas conturbadas de Netuno.

Essência Floral de Bach *Rock Rose*: *"Para casos em que parece não haver qualquer esperança ou quando a pessoa está muito assustada ou aterrorizada".*

Capítulo 5

♐ As casas ♐

Esta é a parte da Astrologia que deixa as pessoas mais confusas. O que é uma casa? Bem, originalmente elas eram chamadas de mansões, pois era nesse lugar do mapa que os planetas "viviam". Assim, se você imaginar que uma casa é o "lar" do planeta, você vai entender um pouco melhor as coisas. Dependendo do sistema de casas que você usa, e por padrão a maioria dos programas de computador usa "Placidus", os planetas ficam dispostos matematicamente em torno do círculo. Assim, se você tem determinado Ascendente, seu Sol vai se localizar em uma determinada casa no círculo-mapa zodiacal. As casas não são um lugar do céu; são lugares no mapa do céu que chamamos de Mapa Natal, ou Astral.

Uso o sistema chamado de "Casas Iguais", pois é o mais fácil de explicar para clientes e alunos, uma vez que cada casa tem o mesmo tamanho. Além disso, é o mais antigo sistema de casas, e penso sempre que "não se mexe em time que está ganhando!".

Em nosso exemplo, Jane Austen tem o Sol na quarta casa e, como veremos, a quarta casa trata da família, do lar e das raízes, e por isso esta citação de *Becoming Jane Austen* (Tornando-se Jane Austen), de Jon Spence, faz sentido:

Jane Austen viveu sua vida toda como parte de uma família muito unida.

Também incluí o Ascendente que cada posição de casa pode/deve ter. Meu pai tinha Ascendente em Sagitário e o Sol na primeira casa, o que lhe deu forte personalidade e impulso vital.

A Primeira Casa, Casa da Personalidade

Acredito em oportunidade. Em otimismo.
Em bondade. Em sabedoria. Em consciência.
Em justiça natural. E em trabalho duro.
– Jonathan Cainer

A primeira casa é o lugar do "eu" e do "Número Um", e por isso, com o Sol nela, o foco será principalmente a altivez e a coragem. Há ainda a tendência a lidar com as coisas com rapidez e decisão. Pense em guerreiros a caminho da batalha e você terá uma ideia correta.
(Ascendente Capricórnio ou Sagitário)

A Segunda Casa, Casa do Dinheiro,
de Bens Materiais e da Autoestima

Dinheiro? Como foi que eu o perdi? Nunca o perdi.
É que nunca soube onde ele foi parar.
– Edith Piaf

A ênfase na segunda casa recai sobre as coisas que temos e podemos possuir, e sobre como nos sentimos com relação a nós

mesmos; ter o Sol nessa casa fará com que o nativo se sinta mais feliz quando dinheiro e bens estiverem seguros.
(Ascendente Sagitário ou Escorpião)

A Terceira Casa, Casa da Comunicação e de Viagens Curtas

A animação pode explicar qualquer coisa que a mente humana possa conceber. Essa facilidade a torna o meio mais versátil e explícito de comunicação já inventado para a rápida apreciação das massas.
– Walt Disney

Nesta casa, a comunicação e todas as coisas associadas a ela são importantes. A terceira casa passa do "eu" para a ideia levemente mais ampla do contato com aqueles que nos cercam. Com o Sol aqui, temos a necessidade de conexão com os outros, em vez de apenas existirmos em solitário confinamento.
(Ascendente Escorpião ou Libra)

A Quarta Casa, Casa do Lar, da Família e das Raízes

Não há nada como ficar em casa para nos sentirmos realmente confortáveis.
– Jane Austen

A quarta casa é o lugar onde nos sentimos acolhidos por nossa família imediata. Onde queremos ficar com aqueles que estão mais próximos de nós. Colocado aqui, o Sol torna o nativo mais inclinado a trabalhar em casa ou, no mínimo, faz com que ele se sinta mais à vontade nela.

(Ascendente Libra ou Virgem)

A Quinta Casa, Casa da Criatividade e do Romance

Preciso criar um sistema ou ser escravizado pelo de outro homem; eu não vou raciocinar e comparar: meu negócio é criar.
– William Blake

Agora, temos a necessidade de mostrar nosso "trabalho" para os outros. A quinta casa concentra-se na criação, quer sendo artista, quer gerando filhos. Há a necessidade de ser reconhecido por esses esforços criativos. Esconder essas criações não é uma opção.

(Ascendente Virgem ou Leão)

A Sexta Casa, Casa do Trabalho e da Saúde

Tenho uns poucos amigos que gostaria de mencionar, são curadores maravilhosos. Visitei os dois muitas vezes.
– Paul Hewitt, astrólogo

A sexta casa é onde nos curamos, onde nossa saúde se expressa, bem como nosso trabalho cotidiano. Todas as coisas que precisam de dados ativos. O modo como lidamos com os detalhes desses assuntos é a aplicação prática.

(Ascendente Leão ou Câncer)

A Sétima Casa, Casa dos Relacionamentos e do Casamento

Amour, amour, amour. Tout comme ça elle est.
(Amor, amor, amor. Bem assim ela é).
– Maurice Denis, artista

Agora, ocupamo-nos com os "outros". Esta é a casa dos relacionamentos, pessoais e afetivos. Com o Sol nela, existe a necessidade de estar num relacionamento, para melhor ou para pior. O amor, em todos os seus aspectos, será uma atração constante.

(Ascendente Câncer ou Gêmeos)

A Oitava Casa, Casa da Força Vital no Nascimento, no Sexo, na Morte e na Vida Após a Morte

Se o sexo é um fenômeno tão natural, por que é
que há tantos livros sobre o modo de praticá-lo?
– Bette Midler

A necessidade de se aprofundar nos relacionamentos pessoais aparece na oitava casa. Ela também governa o sexo e a vida após a morte, e por isso os nativos que têm o Sol nela terão fortes energias focalizadas em seus verdadeiros desejos. Quando tomam uma decisão, nada fica no caminho até suas metas.

(Ascendente Gêmeos ou Touro)

A Nona Casa, Casa da Filosofia e de Viagens Longas

Vou ao templo bem menos do que gostaria porque, quando vou, as pessoas ainda me olham como se pensassem que é um golpe publicitário.*
– Sammy Davis, Jr.

Toda forma de viagem de longa distância e o mundo como um todo se expressam na nona casa. Com o Sol nela, filosofia, religião e a vastidão da mente são companheiros naturais.

(Ascendente Touro ou Áries)

A Décima Casa, Casa da Identidade Social e da Carreira

Sou uma mulher de negócios bastante determinada... Tenho muitas coisas para fazer, e não tenho tempo para ser classificada como difícil.
– Kim Basinger

A décima casa é onde queremos ser "vistos" pelos outros, o ponto que almejamos para nossa carreira. Com o Sol nela, há uma grande preocupação por tornarmo-nos alguma coisa, sermos bem-sucedidos.

(Ascendente Áries ou Peixes)

---

* O comentário de Sammy Davis Jr. deve-se ao fato de ele ter se convertido ao judaísmo no final da década de 1950, sendo negro e filho de cristãos, o que causava estranheza em alguns. (N. do T.)

A Décima Primeira Casa, Casa da Vida Social e da Amizade

O monstro foi o melhor amigo que já tive.
– Boris Karloff

É aqui o lugar onde precisamos de alguém com quem brincar. Onde se fazem amigos e o altruísmo prevalece. Fazer parte de um grupo ou uma organização que reúna as pessoas para propósitos ou ideias/ideais comuns também está na agenda.

(Ascendente Peixes ou Aquário)

A Décima Segunda Casa, Casa da Espiritualidade

Estou cheia de emoções e quero uma válvula de escape, e se você está no palco, e se tudo está funcionando bem e o público está com você, você sente uma unidade.
– Janis Joplin

Como Peixes, o 12º signo do Zodíaco, a 12ª casa trata de questões espirituais. Onde a alma precisa encontrar seu lugar e sonhos e intuições são um anseio constante. É importante manter-se em silêncio, bem como são valiosos a meditação e os sonhos, e a capacidade de se expressar por meio dos sonhos é uma necessidade.

(Ascendente Aquário ou Capricórnio)

Capítulo 6

♐ Os problemas ♐

É engraçado, mas, no trabalho que faço, não vejo muita gente reclamando dos sagitarianos; contudo tenho muitos clientes sagitarianos. Portanto a maioria dos problemas que encontro são dos próprios sagitarianos, e não de seus amigos, parceiros ou filhos.

Dentre os problemas que meus clientes sagitarianos apresentam, vários têm relação com o fato de eles terem grandes ambições que ainda não se concretizaram.

Às vezes, os sagitarianos são pouco práticos, e isso é parte do problema. Ter boas ideias é diferente de transformá-las em realidade. Assim, posso receber um sagitariano em meu consultório que tenha um grande plano mestre para se tornar um curador de renome, mas que ainda não tenha terminado o curso que começou, nem alugado uma sala, nem mandado fazer cartões de visita ou planejado o seu marketing.

E é muito difícil dar conselhos para um sagitariano! É que eles já sabem todas as respostas e estão ocupados demais com seu Grande Plano Mestre para aceitar quaisquer sugestões.

Não adianta ser sutil. Não adianta dar pequenas sugestões. Também não adianta ser educado, razoável ou discreto. Para transmitir sua mensagem, você precisa ser como um ariano: direto, enérgico e objetivo.

Lembre-se de Mandi no Capítulo 1, descrevendo o que a deixava irritada: *"pessoas que me dizem o que posso e o que não posso fazer. Nunca me diga que não posso fazer isto ou aquilo".* Ela não se importa de fracassar completamente em alguma coisa. Ela nem vai se importar se cair de cara no chão! Está acostumada com essas coisas e vai se reerguer, sacudir a poeira e continuar o que estava fazendo antes.

Mas sei que se você fosse lhe dizer para *não* fazer alguma coisa, ou lhe desse uma ordem para fazer outra coisa, ou tentasse fazer com que se sentisse culpada com alguma coisa, isso não funcionaria também.

A maioria dos clientes sagitarianos que atendo no dia a dia também me procuram para discutir seu "Caminho de Vida". Este é um ideal sagitariano muito importante. Eles querem sentir que estão "indo na direção certa".

O que pode desviá-los do curso talvez seja o fim de um relacionamento (geralmente eles me dizem que não terão problemas se ele terminar, e depois reclamam que vão ficar "sozinhos para sempre"...!), uma demissão ou o fato de não ter dinheiro suficiente para viajar. Não se esqueça: normalmente os clientes só aparecem quando as coisas vão mal. Eles não me telefonam para dizer "Ganhei na loteria!"; é principalmente algo como "Ela/ele me deixou, eu o/a deixei, perdi meu emprego/um parente, vou deixá-lo/la, estou tendo um caso"... esse tipo de coisa.

Uma coisa a se lembrar sobre os sagitarianos: se eles se sentem mal com algo em suas vidas, geralmente querem se mudar.

♐ Os problemas ♐

Assim, se terminaram um relacionamento, vão querer morar na Austrália, na Mongólia Exterior ou em qualquer lugar que fique a quilômetros de distância do local do problema. Quando recebo um cliente que teve uma vida repleta de desafios e também alguns planetas em Gêmeos, vejo que ele se mudou de casa sempre que aconteceu alguma coisa perturbadora.

Eis alguns exemplos do tipo de problema que o sagitariano pode enfrentar, ou, do mesmo modo, que seu parente/amigo/parceiro pode encontrar:

Meu sagitariano* não quer se "estabelecer"
Geralmente, essa queixa vem de signos de Água. Se você é de Câncer, terá de aceitar o fato de que talvez seu sagitariano nunca queira se "estabelecer" do modo como você imaginava. Ele não vai querer ter as iniciais bordadas nas toalhas ou percorrer o supermercado selecionando verduras para o jantar; ele também não vai querer usar pantufas para relaxar durante horas na frente da TV.

Sentar diante da TV ou ficar plantada no meu quintal me deixa inquieta, provoca certa ansiedade. Sem exploração de tempos em tempos, sem expandir minha visão, fico com a sensação de estagnação.
– Marie, Ascendente em Sagitário, Sol na primeira casa

O sagitariano Brad Pitt, com Ascendente em Sagitário, Sol na primeira casa e Lua em Capricórnio é um exemplo clássico da complexidade conjugal dos sagitarianos. Ele foi casado por cin-

---

* Para evitar a desagradável construção "meu sagitariano"/minha sagitariana etc., deixei tudo no masculino, mas a autora se refere tanto a homens quanto a mulheres de Sagitário. (N. do T.)

co anos com Jennifer Aniston, que tem Sol em Aquário na quarta casa, Ascendente em Libra e Lua em Sagitário, e por aí você vê que havia conexões astrológicas entre a Lua dela e o Sol dele.

Enquanto estavam se divorciando, ele começou um relacionamento com Angelina Jolie, que é geminiana com Sol na décima primeira casa, Ascendente em Câncer e Lua em Áries. No momento em que escrevo estas linhas, eles ainda estão juntos e têm seis filhos. Três que foram adotados, um casal de gêmeos e uma menina. Para constituírem uma família realmente internacional, seus filhos adotivos nasceram no Camboja, na Etiópia e no Vietnã, sua filha nasceu na Namíbia e seus gêmeos nasceram em Nice, na França. Como se pode ver por este pequeno resumo, Brad não se preocupa com as "convenções".

Numa entrevista para o *Daily Telegraph*, ele disse: *"Somos uma família bem nômade, e isso funciona conosco.*[9]*"*

Estabelecer-se (coisa de Touro) ou aconchegar-se (coisa de Câncer) ou ter ciúmes de amigos ou ex-namorados (coisa de Escorpião) são fatores que vão fazer com que seu sagitariano procure a porta de saída. Sugerir uma viagem rápida pela Europa ou uma excursão com alguns amigos até Machu Picchu vai deixá-lo com um belo sorriso, e você logo vai ouvir o som da mala sendo feita. Ele não vai querer "se estabelecer" da forma convencional. Ele pode até se casar mais de uma vez. Volte e leia o Capítulo 1; lembre-se das características que motiva o nativo de Sagitário e você vai compreender a razão.

Meu sagitariano brigou com a mãe/com o pai/o irmão e quer que eu tome partido

Se você tem vários familiares de signos de Fogo, isso acaba acontecendo. Não há muito a fazer, exceto ser bom ouvinte e demonstrar simpatia. Não assuma uma posição; diga ao sagitariano que você acredita nele e mude de assunto. Se ele estiver enfurecido a ponto de pensar em processar o parente, diga-lhe para procurar uma segunda opinião e tente distraí-lo enquanto as coisas se acalmam. A melhor maneira de enfrentar uma overdose de energia de um signo de Fogo é afastar-se do confronto.

Certa vez, fiz uma leitura para uma sagitariana que tinha uma irmã gêmea. Sua irmã (apenas alguns minutos mais velha) e ela nunca se deram muito bem, e, quando elas eram menores, sua irmã a atormentava fisicamente. Ela nunca compreendeu a razão, sendo que eram gêmeas idênticas. Na época em que fiz a leitura, estavam completamente separadas e moravam em países totalmente diferentes. Ela sentia muita raiva da irmã.

Então, calculei seus mapas e descobri que, embora fossem gêmeas, com os mesmos signos do Sol e da Lua, o Ascendente era diferente. A irmã mais velha tinha o Ascendente em Aquário e o Sol na décima casa, e minha cliente tinha Ascendente em Peixes e o Sol na nona. A irmã mais velha concentrava-se em sua carreira e a mais nova gostava de viajar (!), daí o fato de estar em meu consultório na Inglaterra, embora tenha nascido e more nos Estados Unidos. Quando consegui explicar que ela era *diferente* de sua irmã e que não precisava pensar que era igual à irmã... ela se sentiu muito aliviada.

Meu sagitariano quer montar outra empresa/criar outro negócio, mas ele já tem duas funcionando

Isso acontece com frequência. Mais do que os outros signos, os sagitarianos gostam de trabalhar em seus próprios negócios. Adoram ser seus próprios patrões (a menos que tenham algum componente cauteloso) e não sabem muito bem quando devem parar. Montam um negócio, começam outro e, quando você menos espera, eles não estão apenas administrando uma pequena empresa, estão vendendo um monte de produtos ou oferecendo diversos serviços... e cometendo muitos erros. Já vi isso muitas vezes e não ligo se incomodo as pessoas com esse comentário.

Talvez seu sagitariano não saiba quando parar ou quando as coisas vão bem. Eles conseguem ignorar completamente a parte financeira dos negócios e tomam empréstimos grandes... e suas dívidas se aprofundam cada vez mais, enquanto você não tem dinheiro suficiente para comprar comida e muito menos para mandar seus filhos para uma boa escola particular. Insista para que ele se limite àquilo que gosta de fazer e aos negócios que dão mais lucro. Os outros pequenos "projetos" podem ficar na gaveta.

Estava escutando um interessante programa de rádio sobre a vida de Winston Churchill enquanto escrevia este livro. Inspirado como era, gastava um monte de dinheiro e vivia "como um rei", jogava e ia da alegria ao desespero com seus hábitos e suas despesas excessivas.[10] Como era casado com uma ariana (espírito combativo), isso não era lá um problema, e os dois ficaram juntos.

Então, se o seu sagitariano quiser montar outro negócio, procure convencê-lo a se sentar, acalmar-se e calcular todos os custos. Depois de algumas horas na frente da calculadora, ele vai voltar alegremente às coisas divertidas e você poderá suspirar com alívio. Insista nesse ponto. A falência não é atraente.

↗ Os problemas ↗

Meu sagitariano quer ir/voltar para a faculdade/escola para obter um Ph.D./diploma, mas não tem tempo/dinheiro

Este problema é do tipo que os sagitarianos nunca considerariam como um problema. Eles gostam de estudar. Gostam de aprender coisas pelas quais se interessam, e pronto.

Se o seu signo é de Terra, isso talvez o deixe nervoso, pois você vai se preocupar com as coisas práticas, como "dinheiro suficiente" e "pagar as contas". Isso não é prioridade máxima para um sagitariano, e por isso minha sugestão seria deixá-lo ir em frente, desde que não custe *o seu* dinheiro. Se ele estiver pagando o curso sozinho, muito bem; mas se ele quiser que você pague as mensalidades ou venda seu carro para ajudá-lo, diga "não" com firmeza. Há sempre outras maneiras de custear os estudos sem ir à falência. Você pode sugerir-lhe que consiga uma bolsa, pode recorrer a alguma instituição de fomento profissional ou, se ele for membro de uma sociedade ou organização profissional, ele pode conseguir um empréstimo a juros baixos. Talvez seu empregador atual queira ajudá-lo. Tudo que ele precisa fazer é perguntar. Faça o que fizer, nem tente impedi-lo caso ele tenha essa ideia em mente. Vocês irão se afastar, a menos, obviamente, que você queira terminar o relacionamento.

Capítulo 7

♐ As soluções ♐

Bem, agora você tem uma ideia de como montar um mapa, sabe qual é a posição do Sol de seu sagitariano e seu signo lunar, então está bem avançado no processo de conhecê-lo melhor. Você deve estar vivendo num estado de completa harmonia à sua volta.

Não?

Não se desespere.

Pode levar algum tempo para nos entrosarmos com outra pessoa. E também leva tempo até conhecermos as verdadeiras motivações dos sagitarianos. Tente não acelerar esse processo. Pense nele como um caminho de aprendizado, e você estará explorando as maravilhas do Universo com outra pessoa, também empolgada com esse Universo.

Para ajudar no processo, lembre-se destes dois novos e úteis elementos de sua Caixa de Ferramentas de Soluções:

1. A maravilhosa técnica de autoajuda chamada Técnica de Libertação Emocional (cuja sigla em inglês é EFT – Emotional Freedom Technique)

2. As Essências Florais de Bach mencionadas antes para cada signo lunar

Agora, vou falar do tipo de coisa que aborrece um sagitariano.
Temos aqui Sophie. Mãe solteira com 40 e poucos anos, que trabalha como terapeuta alternativa em sua casa, o que lhe permite educar seus filhos em casa.

Seu Ascendente é Leão, e por isso ela gosta de brilhar; não é tímida ou retraída... normalmente. Com o Sol em Sagitário na quarta casa, o conforto do lar é importante; por ter a Lua em Capricórnio, ela tende a ser bastante autocrítica e severa com sua "criança interior". Ela me procurou porque estava aborrecida e conversamos sobre o que a estava "aborrecendo": *"Estou muito, muito ansiosa, irritada, esgotada e me sinto INVADIDA"*, ela disse. *"Tenho de me proteger."*
Perguntei-lhe o que a estava deixando ansiosa:

"Tudo. Estou tendo ataques de pânico, sinto-me sufocada, preocupo-me com as casas, a crise e a desaprovação dos meus pais. Preocupo-me com as crianças e o dinheiro".

Eu pedi a ela que explicasse melhor.

"Meus pais... Eles dão com uma mão e tiram com a outra. Minha mãe tem aparecido com frequência. Ela mandou me entregar um pouco de óleo e pagou por ele, e depois fez um escarcéu porque ele custou £ 159. Ela ficou dizendo que era caro demais e depois me disse para usá-lo para aquecer a casa. Senti-me envergonhada, humilhada. Fiquei brava porque ela está sendo 'boazinha', mas me transformou no 'alvo de suas caridades'."

Sophie ficou zangada com o fato de sua mãe estar assumindo o controle de sua vida, tomando decisões sem a aprovação dela. Ela é uma mulher adulta, mas sua mãe a estava tratando como criança.

> *"Disse a meu companheiro para ficar longe, mas ele não aceitou a sugestão. (Ele é ariano com a Lua em Aquário e também tem Ascendente em Leão.) Não preciso dele, ele quer toda a minha energia. Eu a perdi. Sinto-me invadida. Não tenho um lugar para mim, não tenho uma casa que seja minha, não tenho privacidade. Todos os dias, sinto-me exausta e invadida. É uma humilhação, estão me fazendo de tola e me sinto desprezada."*

Soube que a mãe de Sophie estava telefonando para ela todos os dias, mas isso fez com que Sophie achasse que a mãe não confiava nela. Seu namorado queria passar mais tempo com ela e até se mudou para sua casa, e por isso Sophie perdeu completamente o senso de liberdade.

Essa é uma receita para desastre. A mãe de uma sagitariana reprovando o modo como a filha cria os próprios filhos. Sem dizer nada na cara, mas jogando indiretas, fazendo comentários pejorativos e enviando-lhe coisas sem avisar.

Oh, céus!

Alguns dias depois, Sophie me telefonou para dizer que o remédio que eu lhe dera havia funcionado, que estava se sentindo menos irritada e que começara a se acalmar.

Para se entender com o sagitariano de sua vida, você precisa compreender certas coisas e ter uma quantidade significativa de paciência. Se o seu signo for de Água ou de Terra, você pode ficar exasperado com seu interminável entusiasmo pela vida e com sua postura alegre.

Se você acha que não sabe ajudá-lo a enfrentar sua crise atual, dê uma lida nas diversas combinações de indicadores do mapa e escolha o que mais se aproxima da constituição de seu sagitariano.

Ascendente ou Lua em Áries

Se o seu sagitariano estiver perturbado, você terá de ser rápido, pois esta combinação de signos move-se bem depressa. Com essa conjuntura, ele vai precisar de alguma ação. Áries é regido pelo planeta Marte, e por isso a melhor solução para um sagitariano perturbado com um Ascendente tão forte é tirá-lo de casa. Falar sobre o problema não é a solução. O Ascendente em Áries vai querer AÇÃO (diferentemente de Leão, que quer LUZES! CÂMERA! AÇÃO!). Leve-o para uma aula de tai-chi, de judô, vá correr com ele, pratiquem esgrima, esportes de ação. Não competitivos, porque essa combinação vai reagir com uma pancada na sua cabeça se não conseguir o que deseja, e este livro foi escrito para ajudar o amigo sagitariano...

Ascendente ou Lua em Touro

Aqui, as energias são mais lentas. Para ajudar seu sagitariano a se sentir melhor, pegue alguns bolos (baixas calorias, sem açúcar) na despensa. Ouça durante alguns minutos e agende uma massagem holística, curadora, com aromaterapia. Quanto antes melhor. Touro quer ver suas necessidades básicas satisfeitas, e suas necessidades são comida, sexo e contato físico. Aqui, o CORPO é importante.

Ascendente ou Lua em Gêmeos

Esquente a chaleira. Pegue os livros. Cite a Bíblia (qualquer versão, ambas são boas). Tenha livros à mão. Discuta. Discuta mais um pouco. Procure soluções práticas. Ouça. Mexa a cabeça demonstrando consentimento de vez em quando. Sorria. Transmita confiança e fale como se entendesse como ele está se sentindo/o que está pensando. Leve-o para um rápido passeio de carro e ele vai se abrir. O movimento e o interesse produzidos por um breve passeio de carro ou de bicicleta vão colocá-lo de volta nos trilhos, reduzindo suas preocupações.

Ascendente ou Lua em Câncer

Você vai preciar de baldes de simpatia. Câncer é um signo de Água e, diferentemente de seu signo solar, que é de Fogo, faz com que a pessoa precise muito de EMPATIA. Não dá para ficar dizendo "sei, sei", fingindo interesse. A menos que você tenha passado pelo que Câncer passou, você estará fora do jogo. A melhor estratégia é esquentar (novamente) a chaleira, desligar o celular, parecer calmo e simpático, reclinar-se no espaço de Câncer, imitar sua linguagem corporal e preparar os lenços. Os cancerianos precisam chorar, e geralmente se sentem bem melhor depois disso.

Ascendente ou Lua em Leão

Segundo signo de Fogo do Zodíaco. Porém você não percebe isso, pois Leão acha que é especial e único e precisa de muita atenção. "Tudo bem, tudo bem" funciona com eles. "Como posso ajudar, o que posso FAZER?" também ajuda. Os signos de Fogo gostam de ação: Áries gosta de ação física, Sagitário gosta de ação num GRANDE CENÁRIO, enquanto Leão gosta de agir com uma companhia. Eles querem uma plateia para representar sua história, para encenar seu drama. Quanto mais gente, melhor! Você não vai precisar de lenços. Leão precisa estar sofrendo muito para chorar, e tende a fazê-lo silenciosa e solitariamente.

Ascendente ou Lua em Virgem

Fiquei tentada a dizer "*chame o médico!*", pois Virgem se preocupa muito com a saúde. Quando se aborrece, o virginiano/sagitariano reclama, reclama e reclama, até você ter vontade de gritar "ACALME-SE!". Não é uma estratégia útil, mas é o que lhe vem à mente depois de escutar CADA detalhezinho daquilo que estava acontecendo. Se pudessem perceber isso em vez de reclamarem de sua própria saúde, poderiam curar os outros ou a si mesmos. Na verdade, Virgem/Sagitário não quer falar, pois falar pode fazê-lo se sentir pior. Ele vai se sentir melhor se ingerir uma essência floral, por isso sugira *Centaury*, que será bom para ele, ou o remédio homeopático *Ignatia*. Aborrecimentos emocionais também afetam a saúde física de Virgem/Sagitário, que pode ter problemas de estômago, asma ou diversos sintomas físicos aparentemente desconexos, quando o que ele precisa, na verdade, é deitar em silêncio e desligar um pouco o cérebro.

Ascendente ou Lua em Libra

Você vai precisar de lenços novamente. Também vai precisar de um ambiente agradável, calmo e tranquilo. Libra/Sagitário é muito sensível ao ambiente, e como Libra é "regido" por Vênus, responde melhor à beleza e à harmonia. Pode precisar de um suave questionamento, e ter um chá por perto é bom, mas melhor seria um buquê de rosas ou uma *suave* massagem com aromaterapia. As coisas precisam ser equilibradas e justas para Libra/Sagitário. Todos precisam compartilhar o que está acontecendo. Mostre que se ele quiser levar em consideração o ponto de vista de todas as outras pessoas, isso irá cansá-lo ainda mais, por isso seria melhor encontrar apenas uma estratégia para "prosseguir".

Ascendente ou Lua em Escorpião

Esta combinação não deixa muita coisa visível. Escorpião/Sagitário sente as coisas tão profunda e intensamente que, se você pudesse compreender o que ele está sentindo, ficaria um pouco chocado. Cores escuras, vermelho-sangue, anseios profundos. A solução é dar-lhe muito espaço. Metros e metros. Um lugar onde possa refletir, ponderar e ansiar sem absorver tudo à sua volta, como um buraco negro. Não há muito a fazer para "ajudar", pois ele vai preferir se entregar à emoção. Ele pode compor uma canção, escrever um poema ou ficar muito bêbado. Ele pode querer vingança, por isso tome cuidado e fique ciente de que, se houver outras pessoas envolvidas quando um Escorpião/Sagitário estiver nervoso, cabeças podem rolar. Uma sugestão útil é levar seu Escorpião/Sagitário a escrever uma carta dirigida às pessoas envolvidas, queimando-a ritualisticamente depois. Ajuda bastante fazer coisas radicais como essa.

♐ As soluções ♐

Ascendente ou Lua em Sagitário

Se puder visitar uma igreja ou ir a um retiro espiritual, ou se conhece alguns monges tibetanos, vai ajudar consideravelmente na solução. O sagitariano precisa entender as causas e razões espirituais. Como no caso da Lua em Gêmeos, a Bíblia ajuda, mas qualquer coisa produzida por um adepto divino vai dar a um sagitariano duplo sentido para suas circunstâncias. O Dalai Lama, o Buda, textos filosóficos antigos de qualquer religião ou nacionalidade ajudam, e quanto mais exóticos e desafiadores, melhor... Procure esse tipo de material e ofereça-o ao seu sagitariano para que ele o leia. Ah, talvez ele faça alguns comentários bem pessoais enquanto estiver lidando com seu problema. Basta ignorá-los!

Ascendente ou Lua em Capricórnio

Seja prático, realista e tire a poeira do senso de humor clássico. Essa combinação reage bem ao humor "de antigamente". Talvez pastelão, talvez histórias em quadrinhos. Primeiro, procure fazê-lo ver tudo que está dando errado por uma óptica sensata. Converse sobre coisas reais, dinheiro, planos, futuro. Depois que ele tiver uma meta bem clara, irá se animar imensamente. Você terá de discutir a verdade e não se esconder por trás de amenidades. As combinações com Libra ficam contentes se todos participam, no entanto as combinações com Capricórnio preferem uma solução: um vencedor, um perdedor. Obviamente, preferem não ser perdedores, mas em geral não esperam muito da vida, e por isso raramente se desapontam. Eles sempre acham que as coisas irão ficar piores. Experimente orientá-los para a ideia de que não há mal em se divertir e desfrutar a vida...

Ascendente ou Lua em Aquário

Se você mencionar alguma obra de caridade importante, vai ajudar, pois Aquário é o signo da autonomia e do benefício à "humanidade". Certa vez, recomendei a um cliente que tinha uma namorada com a Lua em Aquário que desse dinheiro para a instituição de caridade que ela apoiava, pois isso a ajudaria a entender a dedicação dele para com ela. Se você puder colocar um mundo mais amplo na equação, melhor ainda. Certifique-se de que seu senso de liberdade e de individualidade não foi removido e corrija quaisquer sinais de que isso possa ter ocorrido, ou do contrário você terá um colapso em mãos.

Ascendente ou Lua em Peixes

Esta é a combinação de signos da sensibilidade. Por favor, seja gentil com essas pessoas. Imagine que são seres com asas frágeis, anjos disfarçados, seres de outro planeta, e você terá uma ideia de como poderá ajudá-las. Elas não vão ouvir de fato o que você vai lhes dizer, vão *sentir*, mas você talvez ache que não absorveram nada. Porém elas terão absorvido. Vai demorar um pouco até suas palavras passarem pelo filtro de todas as outras "coisas" que estão na cabeça do Peixe/Sagitário. Acenda uma vela, queime incenso, ponha as Cartas dos Anjos ou use alguma outra forma de adivinhação para ajudá-lo. O I Ching é bom, e conheço sagitarianos com essa combinação que confiam mais no "oráculo" do que em uma carta do banco ou uma discussão com um amigo de confiança. Por isso, aprenda uma ou duas técnicas psíquicas e use-as, isso irá ajudar vocês dois.

Capítulo 8

♐ Acreditando nas táticas ♐

Agora, devo pedir desculpas por ter deixado para o último capítulo meus pensamentos sobre crenças e o ideal de Sagitário. Primeiro, precisamos de uma definição.

Meu confiável *Dicionário Oxford* de inglês contemporâneo define crença como *"ato de crer"*.

Certo, não ajudou muito, por isso vamos ver o que é "acreditar": *"aceitar que é verdadeiro ou que transmite a verdade"*.

Então chegamos à verdade, e para um sagitariano ela é mais do que a verdade, ela é...

VERDADE

Eles seguem seu próprio código na vida, suas próprias ideias e, diferentemente de outros signos estelares, a menos que você acredite *em* suas crenças, você ficará sozinho na calçada e seu sagitariano estará correndo para longe. Você precisa acreditar *neles*, não apenas acreditar no que dizem, e explico a diferença.

Acreditar no que alguém diz é isto:

O pequeno Johnny chega da escola coberto de lama e com furos nas calças. Ele conta que, depois da aula, foi jogar futebol com os amigos e "acidentalmente" caiu na lama. Você acredita no que ele diz, você sabe que aquilo que ele diz está coerente com alguma forma da verdade, pois você vê a lama, os furos nos joelhos das calças... faz sentido. Isso não é acreditar *no* pequeno Johnny, é pura e simples crença.

Agora, pense em Edith Piaf, a mulher com uma voz maravilhosa e uma personalidade forte. Meu pai foi um grande fã dela, chamada de "pardalzinho" por ter sido descoberta cantando nas ruas de Paris. Ela queria que você acreditasse *nela*. Piaf queria que você ouvisse a letra de sua famosa canção *Non, Je Ne Regrette Rien*...*

(Eu ainda consigo cantá-la, ouvi meu pai cantando-a muitas vezes.)

Ela queria que você acreditasse *nela*, acreditasse nela como pessoa, mas também como parte da raça humana. Como alguém que saiu da pobreza, que amava seu país, que não se importava com aquilo que as autoridades pensavam sobre ela. Piaf queria que você acreditasse *nela*. Que soubesse que as palavras que ela estava dizendo eram a verdade *dela*.

Ela queria a confiança das pessoas, seu apoio integral, que contemplassem a mesma vista ampla e expansiva do belo mundo em que vivemos.

Imagine-se em pé no cume da mais alta montanha, olhando para uma vista espetacular à sua volta, com colinas, lagos e rochedos, e você pode enxergar longe, muito longe, quase até os confins da Terra... é isso que o sagitariano deseja no que se refere a sua crença *em relação a* eles, em sua crença *neles*.

---

* "Não me arrependo de nada." (N. do T.)

↗ Acreditando nas táticas ↗

Acreditar no mundo pessoal que eles criaram – que é divertido e excitante – envolve viagens, um estado de espírito mais elevado, algo com um fator "uau". Eles querem que você siga o mesmo sonho que eles estão seguindo. Eles querem você como um igual. Não como um líder, não como um fã (isso é coisa de leonino), eles não querem que você os venere e nem que você venere o mesmo "deus" que eles, tampouco querem que você concorde com eles, só querem que você os desafie e os empolgue com a maravilha que existe no mundo, que existe mesmo.

Eles querem que você "tenha fé na existência de...", e depois preencham o espaço vazio. Querem que você tenha fé nas crenças deles. E não estamos falando de religião, nesse caso fé é com "f" minúsculo.

Eis um sagitariano tentando explicar o que quer dizer ao se referir ao seu signo. O que ele gostaria que as pessoas entendessem a seu respeito:

"Quando as pessoas falam de 'significado', e também da 'verdade', estão falando de nós. Para mim, significado é a força motriz e mais alguma coisa por trás de toda a minha postura filosófica. Há um significado por trás de tudo, e nos ocupamos de descobrir exatamente qual ele é".

Assim, por trás da crença, existe um significado; não é justamente ele que a maioria de nós procura? Uma vida vivida com significado. Acho que você não precisa ser sagitariano para desejar isso, mas para eles isso é uma situação de vida ou de morte. Quanto mais você fala ou escreve sobre "verdades superiores", mais você se afasta da realidade, e como este é um livro prático para ajudar pessoas que conhecem ou são amigas de sagitarianos, não vou me aprofundar no assunto.

Basta lembrar-se de uma coisa, eles querem que você acredite *neles*, não apenas no que dizem.

Agora, do outro lado da discussão, nós temos a crença religiosa. É um assunto vasto, que pode precipitar grandes mudanças na vida das pessoas.

Veja este trecho de uma conversa de Tina Turner com Oprah Winfrey sobre sua experiência com cânticos budistas:

"A mulher que vendia drogas para Ike disse 'O que você está fazendo aqui, Tina? Como você consegue viver nessa loucura?'. Um dia, alguém me disse 'O budismo vai salvar sua vida'. Eu estava disposta a tentar qualquer coisa. Comecei a entoar cânticos. Uma vez, entoei um cântico, fui até o estúdio e pus um vocal, só isso. Ike ficou tão empolgado que me deu um bolo de dinheiro e disse 'Vá fazer compras!' Pensei 'Esse negócio de cântico funciona'. Fiquei ligada. Ainda acredito no pai-nosso. Encontrei uma forma do pai-nosso no budismo. Toda religião tem regras para se viver bem. Se você pratica algum tipo de espiritualidade, ela o leva a estágios nos quais você capta outras formas de comunicação. Nunca fechei a porta para qualquer religião. Na maioria das vezes, alguma parte dela faz sentido para mim. Não acho que todos tenham de entoar cânticos só porque eu o faço. Acredito que toda religião visa tocar alguma coisa no seu íntimo. É uma coisa só. Se percebêssemos isso, poderíamos provocar mudanças neste milênio".

Seu Chefe Sagitariano

Creio que não poderemos lidar com as coisas mais sérias do mundo se não conseguirmos compreender as mais divertidas.
– Winston Churchill

Como sou autônoma, não tenho chefe, mas no passado trabalhei como recepcionista para uma empresa que vendia, importava e distribuía skates, pipas e outros produtos, principalmente para adolescentes do sexo masculino, e um dos sócios era sagitariano. Nós nos dávamos bem.

Ele tinha um interesse imenso por coisas excitantes. Ele também bebia TANTO café que eu me preocupei com sua saúde, ele ia de um lado para o outro do escritório e entrava em grandes discussões sobre as linhas de produtos. Uma de minhas tarefas era comprar suas passagens aéreas, e ele ficava felicíssimo quando viajava para "encontrar" alguém e experimentar novas ideias para produtos.

Eles vendiam uma gama bem ampla daquilo que só pode ser descrito como brinquedo para adultos. Coisas como o "foguete do pisão", que tinha um bulbo de plástico no qual você dava um "pisão" e ele mandava um jato de ar para uma pequena plataforma de lançamento que mandava seu "foguete" de espuma pelo ar. Levamos um ao parquinho local quando meu filho era pequeno e formou-se uma fila de garotos que esperam sua vez de mandar o foguete para o alto. Mantivemos um grupo de garotos distraído durante horas...

Meu chefe ficava ranzinza se as pessoas não ficassem do lado dele, e provocava seu sócio e discutia sempre com ele, que era de Gêmeos. Eram como um casal, e de vez em quando discutiam feio por causa de alguma coisa e um deles saía espumando da sala de reuniões, soltando faíscas, jurando nunca mais conversar com o outro. Algumas horas depois, os dois estavam na sala do estoque brincando com um ioiô ou com alguma nova invenção maluca, discutindo os prós e contras dela, como se nada tivesse acontecido.

Por trás do exterior adulto, havia uma criança feliz e inspirada, que simplesmente gostava de brincar.

O amor que o sagitariano sente pela liberdade pessoal pode inspirá-lo a se tornar empreendedor, pois ele não tem problemas com a possibilidade de se arriscar com "lucros ou perdas". Isso se encaixa bem com o fato de o sagitariano não se incomodar com o fracasso. Se o sonho dele for suficientemente grande, ele simplesmente vai tentar de novo.

Duas pessoas assim me vêm à mente: J. Paul Getty, com Ascendente em Capricórnio, Sol na décima segunda casa e Lua em Escorpião, que fez fortuna nos negócios com petróleo, e Ann Souter Gloag, Lua em Capricórnio, que fundou uma empresa de ônibus chamada "Gloag Trotter", que mais tarde passou a se chamar "Stagecoach". Nos dois casos, a seriedade de Capricórnio e o foco no futuro os ajudaram a se "manter no curso".

Portanto, para se dar bem com seu chefe sagitariano, tente não discutir com ele, a menos que seja um assunto que lhe desperte emoções. Sua emoção pode passar para ele. Não restrinja sua liberdade pessoal e lembre-se de que sua honestidade pode acarretar situações incômodas, de vez em quando, mas tudo passa em minutos. Ele vai recompensá-lo generosamente se ele puder testemunhar seu entusiasmo por aquilo que você faz, e na maior parte do tempo vai deixá-lo à vontade com seus afazeres. É pouco provável que ele fique grudado em você ou corrigindo seus eventuais erros.

Seu Filho Sagitariano

Volta e meia, em minha prática profissional, escuto histórias de sagitarianos descontentes que acham que, quando eram crianças, seus pais não os entendiam.

Se voltarmos às palavras-chave de Sagitário que refletem suas forças motrizes – Aventureiro, Filosófico, Independente –, poderemos entender que controlar essas forças bastante intensas é bem complicado. Como você ajuda uma criança que está interessada em conceitos amplos e a auxilia a desenvolvê-los em vez de sufocar seu entusiasmo?

Talvez a melhor abordagem consista em dar à criança sagitariana alguma liberdade de expressão, ficando de olho para que ela "não vá longe demais"... pois o instinto natural de uma criança regida por Júpiter é "exagerar" no que faz.

Temos aqui Sam, mago da informática que mora em Connecticut, nos Estados Unidos:

"Nenhum pai é perfeito, e o maior erro dos meus pais, pelo que percebo agora, foi que, por conta de seu amor por mim, e sem perceberem, me fizeram mais mal do que bem. Quando era criança, meu Sol em Sagitário e minha Lua em Áries nada mais queriam do que ser LIVRES – sair, brincar com os outros garotos, ir a festas na adolescência, cometer meus próprios erros, divertir-me, fazer! Mas eu não fiz nada disso – na verdade, nunca aprendi sequer a andar de bicicleta, porque não podia sair de casa (era perigoso demais) e não podíamos ficar com os amigos (más influências, não podemos

confiar na família deles). Não fui estimulado e nem apoiado em meu desejo de entrar para o teatro, embora isso sempre tenha sido, e provavelmente sempre será, minha maior paixão, pois achavam que não era um tipo de trabalho respeitável, e eles queriam o melhor para mim.

*A maioria dos pais ensina seus filhos a 'serem eles mesmos', mas na minha casa aprendemos exatamente o contrário. 'Seja perfeito', era o lema. Sempre que tínhamos companhia em casa, minha mãe ficava completamente obsessivo-compulsiva com a limpeza, saía limpando como louca cada frestinha e cada cantinho, a ponto de a casa se parecer com um museu, e não com um lugar onde se vive, e minhas irmãs e eu tínhamos de nos vestir bem e nos comportarmos perfeitamente, sem fazer um ruído quando os convidados tivessem chegado. Mostrávamo-nos perfeitamente limpos, corretos, bonitinhos, educados, a família perfeita para pessoas de fora, mas era só as visitas saírem que relaxávamos, bagunçávamos os cabelos e agíamos da maneira como éramos de fato. Por isso, ter convidados em casa era sempre um fardo para minhas irmãs e para mim, porque isso significava que tínhamos de encenar uma peça. Se os cabelos estivessem desgrenhados, isso era UM PROBLEMÃO para a minha mãe. Repito, eu sei que eram boas as intenções, mas o tiro saiu pela culatra. Meu 'verdadeiro' eu é um **sagitariano** – eu queria rir, dançar, contar piadas e arrotar e não me preocupar caso meus cabelos estivessem despenteados –, mas nunca pude fazer isso.*

Adorei essa parte do final, quando ele diz que "queria contar piadas e arrotar e não me preocupar caso meus cabelos estivessem despenteados". Maravilhoso! Se isso não descreve o verdadeiro espírito sagitariano, não sei o que o faz.

Bem, só para diferenciar do amor aquariano pela liberdade, este consiste em *"pensar"* naquilo de que gostam... enquanto a liberdade sagitariana está em *"fazer"* aquilo de que gostam. Não para serem destrutivos ou difíceis, mas para sentir que seu corpo está livre para explorar esse excitante planeta em que vivemos. Logo, seu filho sagitariano pode gostar de algum esporte. Conheço muitas sagitarianas que adoram equitação. Pode ser a imagem sagitariana, metade homem, metade centauro, ou então o fato de que, para algumas pessoas, montar a cavalo pode fazer com que se sintam vivas e livres.

Uma coisa é certa: se quiser que seu filho sagitariano se sinta eternamente feliz, não o restrinja demais. Não estrague seus prazeres, não reprima sua criatividade. Comemore e desfrute com ele as maravilhas que irão descobrir.

Sua Namorada Sagitariana

Se você ainda se lembra das palavras-chave que usamos antes sobre Sagitário – aventureiro, filosófico, independente e... sem diplomacia –, vai compreender que não é lá muito fácil namorar uma sagitariana.

As mulheres de Sagitário que conheço pessoalmente e em minha prática profissional costumam me dizer que não estão "procurando" um parceiro, apenas esperam que apareça alguém. E como você não pode dizer a um sagitariano o que ele deve fazer, nem dar sugestões que realmente sejam ouvidas, ajudá-los a encontrar um parceiro é um desafio complicado!

Seu amor pela independência é uma característica importante. É diferente do amor à liberdade do aquariano. O aquariano precisa de liberdade mental, o sagitariano precisa literalmente de liberdade. A liberdade de explorar a vastidão do mundo e outras culturas. Como gostam muito de viajar, seu parceiro também precisa gostar de viajar.

Temos aqui Amy descrevendo o que ela procura num parceiro ideal. Primeiro, ela conta um pouco sobre si mesma:

"Minha vida é um livro aberto, honestidade é meu jogo e espero o mesmo dos outros. Não sou tímida e nem retraída, por isso, não me ponha contra a parede! Estou aberta à maioria das experiências da vida. Adoro aventuras, grandes ou pequenas, e raramente planejo com antecedência. Embora seja independente, adoro a companhia masculina. Quero um companheiro que deseje ser meu igual, e não me dominar ou fenecer sob mim.

Intensa? Talvez.

Divertida? Sim.

Séria? Quando necessário.

Estúpida? Não!

O que procuro? Hummmm, essa é difícil. Quero um homem, forte, não um inútil. Alguém que eu possa admirar, e não me entediar com sua companhia. Não gosto dos fracotes, mas também não gosto dos que ficam mandando em mim. Quero um parceiro com quem eu possa conversar e debater, mas não brigar e discutir. Quero alguém que seja impulsivo, mas confiável. Divertido, mas sério quando necessário. Inteligente, mas não condescendente. Culto, mas não obsessivo. Estou procurando um príncipe encantado? Desafie-me!"

Se decifrarmos o que Amy falou de fato, veremos que ela procura o "verdadeiro" espírito masculino. Ela também procura alguém que lhe seja igual, sem esperar que ela obedeça ou faça concessões. Precisaria ter certa inteligência educacional, pois ela aprecia um "debate", e não uma "discussão". Se pensarmos em termos astrológicos, Amy está procurando um ariano, alguém que também seja de um signo de Fogo e que não seja tímido, mas não se incomode com sua "honestidade" (que, na verdade, pode ser traduzida como falta de tato).

Britney Spears, Ascendente em Libra, Sol na terceira casa e Lua em Aquário, sofre o dilema sagitariano típico de querer seu príncipe encantado, mas, do mesmo modo, passa meses do ano fazendo apresentações pelo mundo. Com o Sol e a Lua em dois signos amantes da liberdade, ela vai precisar de um parceiro que possa realizar seus sonhos de independência, uma combinação complicada. Não é impossível, mas é bem difícil.

O Universo não vai lhe enviar de repente o seu parceiro ideal se você ficar viajando tanto. É difícil acertar num alvo móvel!

A atriz norte-americana Bette Midler, com Ascendente em Áries, Sol na oitava casa e Lua em Escorpião, está casada neste momento:

"O casamento dá um trabalho danado. E está repleto de fúria e de dramas reais, humanos. Cada dia é uma luta. Meu marido e eu estamos tendo um bom ano, mas os primeiros anos foram realmente terríveis. Nós nos casamos e depois percebemos que tínhamos opiniões bem diferentes sobre um monte de coisas. Porém neste ano percebemos uma coisa. No casamento, você luta, luta e luta, e depois conclui que você precisa seguir com o cavalo na direção em que ele está indo. Você para de puxar as rédeas em outra direção. Meu marido já sabe disso. Mas para mim foi aquele negócio de tentar enfiar o pino quadrado no buraco redondo. Finalmente, disse para mim mesma: 'Isto seria muito melhor se...'."

Deixe-o existir. Era a grande frase da minha mãe em iídiche. Ela costumava dizer para meu pai o tempo todo: 'Deixe-os em paz! Deixe-os existir!'".

Esse Ascendente em Áries não gosta mesmo de sutilezas, e com a Lua em Escorpião *e* o Sol na oitava casa, ela precisa se sentir segura, digna de confiança. Vamos torcer para que encontre isso!

Você precisa ter uma personalidade forte para namorar, com sucesso, uma sagitariana. Você precisa ter a coragem de suas convicções, um passaporte atualizado, um bom conhecimento do noticiário atual e não ser possessivo ou carente. Você também precisa deixá-la ter seu "próprio espaço", para que ela se sinta confortável.

Seu Namorado Sagitariano

Às vezes, eu penso que o único modo de saber de verdade como as pessoas se veem é ler um perfil escrito por elas mesmas... e não há lugar melhor para encontrar isso do que em sites de namoro.

A maioria das pessoas sabe que para "atrair um parceiro" é preciso escrever sobre seus pontos positivos, e não, obviamente, sobre os negativos, e é nesse espírito que incluí uma descrição anônima.

O Senhor X mora em Londres, nasceu em 1973 e é solteiro. Ele descreveu aquilo que procura; garotas, tomem nota. Aquilo que alguém escreve é quase tão importante quanto o que não escreve.

Quando perguntaram "O que você está procurando?", perceba que ele ofereceu muito mais do que uma opinião; na verdade, parece que ele ticou todas as opções:

> *"Uma parceira para atividades; amigas; 'Vamos ver o que acontece'; um relacionamento de curta duração; um relacionamento de longa duração; casamento; um caso."*

Ele NÃO está querendo colocar um anel no dedo, os chinelos debaixo do sofá e a monogamia. Perceba que "casamento" é a penúltima opção. Sua primeira opção é "parceira para atividades", o que faz sentido, pois ele relaciona seus interesses esportivos como sendo:

> *"acampar; ciclismo; equitação; esportes radicais; golfe; montanhismo; alpinismo; corrida; escalada; vela; mergulho; esqui; snowboard; squash; natação; caminhar; esqui aquático; halterofilismo; paragliding; yoga".*

Logo, se você é de Câncer, Escorpião ou Capricórnio, pode achar muito cansativas sua mutabilidade e a necessidade de estar fazendo alguma coisa.

Ele também NÃO escreveu que está procurando o verdadeiro amor. Esta NÃO é sua maior prioridade; por isso, jovens, mais uma vez, não namorem um sagitariano se estiverem procurando uma rápida e imediata valsa pela ala da igreja.

Ele é bilíngue, nunca fumou e foi à universidade, por isso, estamos vendo um típico homem de Sagitário... Ele mesmo diz isto:

Como acreditar num sagitariano

"Sou um sagitariano típico: otimista, aberto, honesto e leal, embora às vezes seja autoindulgente, exigente e assertivo. Apesar de ser completo, eu vivo a filosofia do 'carpe diem' e adoro quando a vida traz coincidências felizes para aqueles que estão conscientes e não são sonâmbulos ao longo da existência. Para mim, a vida não é nada sem espontaneidade e aventura, mas mantendo sempre o que é importante para mim: dedicação, lealdade, autoconsciência.

Procuro uma mulher que sinta o mesmo, que consiga me acompanhar e não se leve a sério demais.

Que seja forte e conservadora o suficiente para conter minha impulsividade, mas liberal o suficiente para não reprimir minha criatividade. Se parece que peço demais, provavelmente é porque estou pedindo, mas, como acontece na vida, se você não se sente desafiado, não deve valer a pena...

Tenho um senso de humor sutil, um forte senso de ironia, e meu sarcasmo não tem limites. Sinta-se à vontade para rir de mim, procure rir de si mesma e una-se a mim para rirmos do mundo louco em que vivemos...

Não sou famoso por minha diplomacia, e é melhor que você saiba logo que sou honesto ao extremo e que posso ser implacável em minha falta de tato, embora meu charme natural e meu sorriso vencedor sempre compensem uma eventual ofensa..."

Depois, ele fala um pouco sobre o que está procurando de fato, e, como eu disse em *Como se Relacionar com um Aquariano*, muitas pessoas pensam que estão "procurando alguém" exatamente como elas. Que tenha os mesmos interesses, que goste das mesmas comidas, viva a mesma vida... mas, como você pode perceber, após algum tempo toda essa semelhança pode ser entediante...

↗ Acreditando nas táticas ↗

Bem, o que um homem *diz* que está procurando costuma mostrar muito sobre *ele*, mas nada sobre *você*.

Ele não está preocupado com localização; por isso, se você mora em Tristão da Cunha (uma pequena ilha no sul do Oceano Atlântico com 271 habitantes), isso não irá impedi-lo de namorá-la, desde que você se enquadre nas especificações.

Ele quer alguém com, *no máximo*, um ano a mais do que ele; pode ser bem mais jovem, com um tipo físico que pode ser *magra; mediana; atlética; curvilínea;* que ainda não tenha filhos, mas *pode* querer tê-los depois, e ele não está preocupado com educação, etnia, renda, religião ou idioma. NENHUMA dessas coisas seria uma barreira para conhecê-lo ou namorá-lo. As culinárias de que gosta são: *inglesa; francesa; grega; indiana; japonesa; italiana; frutos do mar; sushi; tailandesa; vegetariana.*

Foi interessante perceber que seu perfil não continha quase detalhe NENHUM sobre o que ele estava procurando, e por isso, para namorar esse homem com sucesso, você teria de ter confiança em si mesma e não se preocupar com o que ele sugerir. Uma vida doméstica aconchegante não está no seu perfil. Ele tem uma vida incrivelmente agitada, com *hobbies* e leituras... e um emprego na indústria cinematográfica. Logo, se você quiser namorá-lo, sua vida terá de ser igualmente agitada, ou do contrário você vai ficar em casa, esperando que ele entre em contato com você... e a espera pode ser longa.

Entrevistei ainda Victoria, uma ariana na faixa dos 50 anos que tem um "estilo de vida confortável" em Los Angeles, e lhe fiz algumas perguntas sobre seu marido sagitariano. Ambos tinham sido casados antes e, somando-se os dois lados, têm seis filhos. Eles construíram uma casa em uma pequena ilha do Caribe, na qual passam boa parte do tempo. Michael está com 60 e tantos anos, e perguntei a Victoria o que a atraía em seu companheiro de vida.

"Nós nos encontramos no Alojamento Unido dos Teosofistas. Conhecíamo-nos fazia alguns anos, mas não muito bem, até servirmos juntos como moderadores de uma aula. Depois disso, uma coisa levou à outra.

As coisas que me atraíram nele foram seu senso de humor e a facilidade com que ele conversa com as pessoas. Ele conhece bem muitos assuntos e tem um dom natural para falar. Por isso, ele é uma espécie de sabe-tudo. Às vezes, sinto que ele é meio impressionável, e que por isso pode ser convencido de que alguma coisa seja verdade sem explorar completamente a sua fonte. Isso é estranho para mim, pois, como dono de empresa e vendedor, ele tem talento para vender gelo para esquimós.

Basicamente, ele é um liberal-progressista de esquerda, apesar de questionar alguns pontos de vista libertários de vez em quando (e às vezes acho que é só para ser do contra). Ele acredita na lei do karma, embora ocasionalmente se mostre fatalista na análise de seus efeitos (se alguma coisa ruim acontece, a pessoa deve ter feito algo para atraí-la!). Mas ele será a primeira pessoa a contribuir para uma causa ou a se manifestar contra injustiças. Ele acredita em reencarnação e na evolução da alma. Ele não se sente atraído pela religião convencional. Como muitos sagitarianos, ele tem uma excelente opinião sobre si mesmo. Por exemplo, ele está convencido de que Sagitário é um signo muito superior aos demais. Fico louca quando ele se dispõe a fazer uma avaliação astrológica dos signos das pessoas."

Logo, para namorar com sucesso um sagitariano, não deixe de ter claras na mente as ideias de liberdade, as suas e as dele.

O que Fazer quando seu Relacionamento Sagitariano Termina?

Uma coisa é certa: se um relacionamento com Sagitário estiver fadado a terminar, ele não irá fazê-lo lentamente. Num dia vocês estão juntos, no dia seguinte as malas estarão prontas e você estará sozinho. Também não haverá nenhuma pista ou chance para reconciliação. Seu espírito ígneo estará buscando novos horizontes, talvez nos braços de outra pessoa, mais apta a procurar eternamente com ele a liberdade.

Signos de Fogo

Se o seu signo é de Fogo – Áries, Leão ou Sagitário – e você está sofrendo os efeitos colaterais do fim de um relacionamento, meu melhor conselho é usar o elemento pelo qual você é regido, que é o Fogo. Bem, não vou sugerir que você rasgue todas as roupas de seu ex faça uma fogueira com elas no jardim nem que ponha fogo nos livros prediletos dele. Não, vamos fazer algo que lhe dará forças.

Compre uma vela, pode ser de qualquer tipo, mas o ideal mesmo seria uma pequena vela noturna, acenda-a e recite:

> Eu... (seu nome) deixo você (nome do sagitariano) ir, em liberdade e com amor, para que eu fique livre para atrair meu verdadeiro amor espiritual.

Deixe a vela num local seguro para que queime; uma hora já é suficiente. Não saia de casa e deixe a vela acesa, fique de olho nela.

Depois, ao longo dos próximos dias, reúna quaisquer objetos pertencentes a seu (agora) ex-sagitariano e deixe-os na casa de seu ex ou doe-os à caridade.

Se tiver fotos, não se apresse em rasgá-las na hora, como alguns signos de Fogo costumam fazer. Anos depois, quando você se sentir melhor com a situação, pode se arrepender de não ter lembranças dos momentos felizes que passaram juntos. Quando tiver forças, selecione algumas das melhores fotos e livre-se das outras.

Signos de Terra

Se o seu signo é de Terra – Touro, Virgem ou Capricórnio –, você vai se sentir menos propenso a fazer alguma coisa drástica ou extrema (a menos, é claro, que sua Lua esteja num signo de Fogo...).

O término de seu relacionamento deve envolver o Elemento Terra, e isso pode ser feito com o emprego de cristais de confiança.

Os melhores a se usar são aqueles associados com o seu signo solar e também com a proteção. Os cristais a seguir são considerados de proteção, mas também são as pedras preciosas relativas ao signo natal (p. 188-192, *Cunningham's Encyclopedia of Crystal, Gem and Metal Magic*, de Scott Cunningham).[11]

Touro = Esmeralda
Virgem = Ágata
Capricórnio = Ônix

Pegue o cristal e lave-o em água corrente. Embrulhe-o num lenço de papel e vá caminhar pelo campo com ele. Quando encontrar um lugar apropriado, faça um pequeno buraco e enterre o cristal no chão.

Pense no modo como seu relacionamento terminou. Lembre-se dos bons e dos maus momentos. Perdoe-se por quaisquer erros que você ache que possa ter cometido. Imagine uma bela planta crescendo onde você enterrou o cristal, uma planta que floresce e cresce com vigor. Ela representa seu novo amor, que estará com você quando chegar o momento apropriado.

Signos de Ar

Se o seu signo for de Ar (Gêmeos, Libra ou Aquário), talvez você queira conversar sobre o que aconteceu antes de se sentir feliz o suficiente com o fim do relacionamento. Os signos de Ar precisam de razões e de respostas, e podem desperdiçar uma preciosa energia vital procurando essas respostas. Antes de tudo, perdoe-se pelo fato de o relacionamento ter terminado. Não foi culpa de ninguém, e o tempo vai curar as feridas. Quando estiver se sentindo melhor e seus pensamentos estiverem claros, pegue uma folha de papel e escreva uma carta para seu (ex-)sagitariano.

Essa carta não será enviada pelo correio, por isso pode ter a franqueza que quiser em seus pensamentos.

Escreva-lhe nestes termos:

Caro sagitariano,

Sei que você está feliz agora que tem uma vida nova, mas eis algumas coisas que eu queria que você soubesse e entendesse e que você menosprezou enquanto estávamos juntos.

↗ Como acreditar num sagitariano ↗

Então, relacione hábitos, ideias, propostas, planos incômodos a que seu (ex-)sagitariano se dedicava. No alto da lista pode estar a incapacidade de seu ex de levar em consideração as suas ideias.

Não deixe de lado nenhum detalhezinho, até as escovas de dente no banheiro e as diversas vezes em que ele disse coisas como "Você precisa mesmo fazer isto, ou aquilo" ou "Hoje você está parecendo muito gordo".

Escreva até não poder mais e encerre sua carta com algo similar ao seguinte:

> Embora tenhamos enfrentado o diabo juntos e nunca tenhamos nos visto na base do olho no olho, desejo-lhe felicidade em seu caminho.

... ou algum outro comentário positivo.

Depois, leve a carta para algum lugar ventoso, alto, fora da cidade, onde você não sofra interrupções. Pode ser o alto de uma colina com uma bela vista, um cais de porto num dia de tempestade, perto de um despenhadeiro, mas seja sensato e não se exponha a nenhum risco pessoal.

Leia novamente a sua carta. Certifique-se de que ela parece correta em sua mente, e depois, cerimoniosamente, rasgue uma pequena parte da carta nos menores pedaços possíveis e deixe esses pedacinhos serem levados pelo vento.

Não creio que seja uma boa ideia dispor de *toda* a carta dessa forma, porque: a) ela pode ser bem longa e você pode ser acusado de poluir o ambiente, e b) corre ainda o risco de ela ir parar num lugar inconveniente; portanto, guarde o resto dela.

Quando chegar em casa, queime o resto da carta em segurança num cinzeiro e jogue-a no lixo, ou coloque-a no triturador de papel e jogue as aparas no cesto de reciclagem.

Signos de Água

Se o seu signo for de Água – Câncer, Escorpião ou Peixes –, será um pouco mais difícil recuperar-se desse coração partido. Não será impossível, mas talvez você fique acordado à noite, perguntando-se se fez a coisa certa ao terminar o relacionamento, ou sentindo-se profundamente magoado pelo fato de o relacionamento ter acabado. Não se abale. As coisas vão melhorar, mas você precisa conseguir superar essas primeiras semanas, as mais difíceis, sem ficar chorando o tempo todo.

Sua cura emocional precisa incluir o Elemento da Água. Por isso, seguem algumas sugestões.

Eis um modo poderoso de curar a ferida emocional que resultou do término desse relacionamento. Ele lhe permite usar a parte de você que está mais "sintonizada" com a questão.

Isso envolve suas lágrimas.

Da próxima vez que sentir que vai chorar, recolha suas lágrimas num frasco. Não é tão difícil quanto parece. Lá está você, as lágrimas rolando rapidamente, ameaçando inundar o mundo; você só precisa que *uma* dessas lágrimas caia num copo de água. Recomendo que use um copo bonito. Algo interessante, que tenha algum significado para você.

Certifique-se de que a lágrima caiu nele, e então preencha-o com água até chegar quase à borda do copo.

Coloque o copo sobre uma mesa, talvez com uma vela acesa, talvez com uma foto de vocês dois juntos, o que parecer bom para você, e recite o seguinte:

Este adorável relacionamento com você, ... (nome do sagitariano), terminou.
Estendi-me através do tempo e do espaço para chegar até você.
Minhas lágrimas vão lavar a dor que sinto.
Tiro você de meu coração, de minha mente e de minha alma.
Partamos em paz.

Depois, beba lentamente a água.
Passe as próximas semanas comentando como você está se sentindo, com alguém que se importe com isso. Se não houver ninguém que faça esse papel, pense num conselheiro ou terapeuta. A Técnica de Libertação Emocional (Emotional Freedom Technique [EFT], em inglês), encontrada no site www.emofree.com,* é muito útil nessas situações e é uma técnica fácil, que você pode aprender em casa.

Seu Amigo Sagitariano

Como mencionei na introdução, tenho um amigo sagitariano muito querido. Ele é irmão de um antigo colega de escola. Quando éramos bem mais novos, ele me levava para passear em sua moto de 750cc, e eu ia agarrada às suas costas, torcendo para não cair. Eu conhecia sua família muito bem, pois tinha morado com eles durante um ano, e sua mãe era uma leonina muito simpática. Entretanto, depois fiquei sabendo que ela se preocupava com a possibilidade de que ele e eu nos apaixonássemos... Coisa que nunca aconteceu. Não estava nas cartas, éramos apenas bons amigos.

---

* Existe a versão brasileira do site: www.emofree.com.br. (N. do T.)

Ele também gostava de viajar para o exterior, e um de seus primeiros empregos foi como professor; nessa época, ele conheceu sua primeira esposa. Ele é mestiço – metade alemão, metade chinês –, e essa esposa era natural de uma ilha do Caribe.

A família toda viajou para lá para o casamento, e eu também; mas meu pai tinha acabado de falecer, e por isso não foi uma experiência totalmente feliz.

Anos depois de seu divórcio, ele conheceu sua esposa atual pela internet, pois ela morava nos Estados Unidos. O que estou tentando mostrar é que a distância não é problema para os sagitarianos. Eles viajam literalmente até os confins da Terra para conseguir o que quer que estejam procurando.

Portanto, se você tem um amigo sagitariano, lembre-se de que não importa nem um pouco o lugar onde você mora; ele irá visitá-lo alegremente onde quer que você esteja.

Vejamos o que uma pisciana comenta sobre sua amiga sagitariana:

"Conheço essa amiga sagitariana há mais de quarenta anos, e ela é uma das melhores pessoas com quem já convivi. Uma amiga íntima. Eu a conheci na empresa onde trabalhávamos. Ela é leal, digna de confiança – conversar com ela é como estar num confessionário. Ela não tolera de bom grado os erros dos outros e pode dar a impressão de que é ingênua – muito ao contrário! Quando me mudei para outra cidade, foi ela quem me mandou um cartão, telefonou, pensou nos outros. Ela tem um forte senso de dever, é próxima à família, às vezes esquece de si mesma para ajudar os outros. No local de trabalho (a empresa da família dela), era um osso duro de roer e trabalhava muito; nunca pedia para os funcionários fazerem algo que ela mesma não pudesse fazer. Ah, sim! Interessava-se muito por esportes, jogávamos squash, e ela gosta de corridas e de futebol.

Sua Mãe Sagitariana

Lembre-se de todas as coisas que falamos sobre o desejo sagitariano de liberdade, de viajar, de discutir filosoficamente "a Vida, o Universo... e Tudo", e você não ficará surpreso ao saber que ser mãe pode ser um desafio e tanto para uma sagitariana.

Não é algo que ela consiga fazer naturalmente.

Milayo é uma "mulher maravilha" segundo seu filho aquariano Nkera (que conhecemos em *Como se Relacionar com um Aquariano*). Ela nasceu na Nigéria e perdeu os pais no fim da adolescência. Foi estudar na Inglaterra e trabalhou como enfermeira, sustentando seus dois irmãos mais novos que ficaram com parentes na Nigéria. Ela se casou, mas esperou para ter filhos, pois precisava sustentar os irmãos. Finalmente, teve filhos e a família voltou para a Nigéria. Lá, havia sempre algum parente: um tio ou primo que ia morar com eles, algum membro da família de Milayo. Ela montou uma loja de roupas. Anos depois, em virtude de pressões econômicas, ela voltou para a Inglaterra para trabalhar novamente como enfermeira. Seu marido ficou em casa na Nigéria, onde agora mora uma nova geração de parentes de Milayo, e ela ainda manda dinheiro para ajudar a sustentá-los.

Aqui, Nkera descreve como ela é:

*"Ela tem uma personalidade forte... Você a ouve rindo e falando alto... melhor, **gritando** ao telefone com suas amigas, e se você estiver tentando assistir à TV, esqueça! Às vezes, tudo de que preciso é fugir do barulho!*

Felizmente, não moro mais com ela. Ela costuma ser bastante impulsiva, e depois que põe uma ideia na cabeça, não há como con-

vencê-la do contrário (se é que ela escuta o que você diz), e espera que todos a acompanhem! Às vezes, isso pode causar problemas se a ideia for sobre alguma coisa que eu ou outra pessoa deveria fazer, pois, enquanto ainda estou analisando a ideia, ela já planejou os próximos passos e provavelmente está agindo como se eu tivesse concordado desde o início. E, como nem sempre a acompanho, podemos entrar em conflito se eu não concordar.

Por trás disso tudo, porém, seu coração é tão grande quanto sua personalidade, e ela acredita que foi posta neste mundo para ajudar as pessoas (sua família) e costuma imaginar que ganhou na loteria e que vai dividir o dinheiro entre nós... mas ela não seria capaz de resistir a nos dizer o que fazer com nossa parte! Francamente!"

Perceba que a maior queixa de Nkera recai sobre as "ideias" (uma palavra-chave de Aquário) dela. O problema não está no fato de ela sustentar a família, mas em seu entusiasmo por algum projeto que envolve a todos, que mal tiveram tempo de digerir a informação.

Perceba também que ela viaja sem problemas por centenas de quilômetros, atravessando mares e terras para ir a outro país para sustentar a família. Ela ainda manda dinheiro para casa, pois acha que foi "posta neste mundo" para ajudar as pessoas.

Eis a jovem que conhecemos antes, de um país báltico, no norte da Europa, falando de sua avó:

"Minha mãe, taurina, costumava reclamar que minha avó sempre foi viciada em trabalho e que nunca se importou muito com sua família. Ela ia trabalhar mesmo quando os filhos estavam doentes em casa, mesmo que não precisasse ir, ela procurava sempre uma desculpa para sair de casa. Não conseguia ficar em casa o dia todo.

> *Lembro-me de minha mãe dizer que ela costumava se sentir mal e doente quando era pequena e não tinha a mamãe por perto... Só porque ela 'tinha' de ir trabalhar".*

Assim, para obter o melhor de sua mãe sagitariana, antes é preciso levar em conta o seu Elemento. Falamos disso no Capítulo 2.

Se o seu signo é de Terra, como no exemplo acima, ter uma mãe sagitariana será um desafio e tanto. Os signos de Terra precisam que suas necessidades físicas, pragmáticas e tangíveis sejam atendidas. Isso significa café da manhã, jantar, almoço e lanche. Nada mais pode acontecer enquanto essas coisas não estiverem organizadas (especialmente se você for de Touro). Logo, se a sua mãe, um pouco como a mãe pisciana, está ocupada acompanhando uma onda nova e maluca e está tão envolvida nela que você tem a sensação de que vai morrer de fome ou que vai ficar doido com tanta excitação, então você terá de aprender, desde cedo, a se virar sozinho. Aprenda a cozinhar, peça a alguém para lhe mostrar como preparar seus pratos... e alimente-se por conta própria. Você vai se sentir muito mais feliz e menos estressado.

Se o seu signo é de Água, você vai precisar de tempo para si mesmo. Vai precisar de um quarto no qual possa se trancar, e, de modo geral, o banheiro é o lugar ideal para você se esbaldar na água durante algum tempo.

Se o seu signo é de Ar, você vai desfrutar das ideias de sua mãe e pode até ter as boas e velhas discussões, mas será compensado depois com um beijinho. Não espere que seja tudo na base do olho no olho.

Se o seu signo é de Fogo, FIQUE LONGE! Você e sua mãe sagitariana vão se divertir muito, discutir à beça, ela não vai ceder e você não vai ceder... Quem sabe você deva aprender a dirigir desde cedo, para poder sair de casa quando as coisas esquentarem demais, e, presumindo que vocês não tenham luas conflitantes, vocês se darão razoavelmente bem.

Seu Pai Sagitariano

Obviamente, só posso falar de minha experiência pessoal de ter um pai sagitariano, e na maior parte do tempo isso foi divertido. Havia ocasiões em que ele perdia a paciência e éramos repreendidos, especialmente se ele estivesse assistindo ao noticiário e fizéssemos barulho, mas, de modo geral, a experiência foi positiva.

Ele gostava particularmente de viajar conosco nas férias. Como ele mesmo passava uma boa parte do tempo viajando, conhecia pelo menos *um pouco* dos lugares que visitávamos. Ele fazia comentários sobre tudo que sabia a respeito do lugar, fatos pitorescos, costumes locais, pratos prediletos. Era dizer o nome e ele conhecia. Além disso, ele era bilíngue, e, onde quer que fôssemos, ele sempre conseguia conversar com as pessoas, ou, no mínimo, ser educado com elas. Ele não era tímido e nem retraído. Enquanto dirigia o carro da família, de repente começava a cantar alguma coisa de uma opereta de Gilbert e Sullivan. Ele também gostava da missa em latim, pois sempre era cantada. E gostava particularmente de sua religião. Também gostava de travar profundas discussões filosóficas, mas aparentemente eu nunca tinha idade suficiente para ser incluída nelas, e ele morreu quando eu tinha apenas 22 anos.

Ele adorava viajar e passava a maior parte do ano a bordo de aviões ou hospedado em hotéis. Esse era seu espírito verdadeiramente sagitariano. Ele gostava de dirigir em alta velocidade (Sol na primeira casa), adorava John Wayne e pegava uma pilha de livros na biblioteca, que lia diariamente. Quando ele acabava com sua cota de empréstimo da biblioteca, usava a nossa para tirar o maior número de livros que pudesse.

Ele se dava bem com a família toda e mantinha contato com os parentes.

Na família a seguir, o pai é de Sagitário e a mãe é de Áries:

"Meu pai é um sagitariano que alguns consideram típico. Nos últimos tempos, a melhor forma que temos para nos relacionarmos um com o outro é contando piadas. Ele adora estimular o riso. Minha mãe é um tanto complexa, mas eles acabaram se apaixonando um pelo outro. Ela pode parecer discreta em público, mas em casa fala bem alto. Os dois parecem crianças, é como ver dois garotinhos interagindo. É tão bonito!

Ele gosta de sair, ela prefere ficar em casa. Ele se diverte com shows malucos como o de Jerry Springer, ela quer assistir à Martha Stewart. Eles são meio opostos, mas muito parecidos. Ele a traiu ao longo dos anos – ele ainda tem fotos de suas ex-amantes. Creio que se duas pessoas foram feitas para estar juntas, não precisam se curvar uma para a outra. Se você vai 'mudar', é importante que os dois mudem – e para melhor".

Parece que a mamãe sabe dar o troco... e esse espírito forte de Áries não deixa o espírito igualmente forte de Sagitário enrolá-la muito não. Fogo *versus* Fogo!

Na minha família, mamãe é de Aquário, então ela sempre falava de suas ideias... e meu pai nunca a atrapalhava em relação às ideias dela, por isso ambos foram muito felizes. Às vezes, ele era romântico. Eles comemoraram o 25º aniversário de casamento em Viena, tornando a trocar juras de amor... e ele escreveu um poema.

O Tempo Espera

Imóvel como a sensação da morte
Correu a noite nas estrelas
Envolvendo cada lâmpada
Com uma dobra da eternidade
Mas onde as pequenas barras
Do luar afagavam as colinas bocejantes
As sombras se derretiam, pisoteadas
Frias e trêmulas, perdendo sua unidade.
Brisas sopravam suavemente do Norte
Gemendo entre os pinheiros
No vale, as fileiras
De cereais sussurram o movimento.
O arado, ainda no viés do estábulo
Fala de campos e de seus caminhos.
A madeira chamuscada por um incêndio próximo
Conta de homens e dias esquecidos.
O joio de um celeiro em ruínas
Flutua sobre os tijolos ao chão
E cai timidamente para tingir os sulcos do arado
Uma cama range nos campos
Plantações, árvores e tempo
Esperam.
Noel English

A vida nunca era aborrecida com meu pai; havia sempre alguma ideia ou projeto a caminho, ou algum drama familiar que precisava de atenção, como casar-se com alguém "da religião errada", ou "ter filhos sem ser casada". Ele não sabia relaxar muito bem e nem ficar acomodado por muito tempo; tinha sempre "coisas para fazer".

Para se dar bem com seu pai sagitariano, o mesmo conselho se aplica com relação ao seu Elemento; para isso, leia o que sugeri para quem tem mãe sagitariana.

Seus Irmãos Sagitarianos

Para se dar bem com seus irmãos sagitarianos, lembre-se de suas motivações e aprenda a extrair o melhor de seu relacionamento.

Ajuda muito se você tentar evitar dizer-lhes o que fazer. Também ajuda se você controlá-los caso eles se aborreçam com alguma coisa, eles estão preparados para sacrificar a liberdade em nome disso.

> *"Meu irmão é sagitariano, e ele revela seu pior lado quando está zangado. Ele está sempre me menosprezando e quer sempre ter a última palavra nas discussões. Meu Deus, ele ultrapassa todos os limites e se transforma num espertinho. Admito, ele sabe mesmo fazer as pessoas parecerem idiotas, mas na verdade ele é arrogante sem percebê-lo".*

Não creio que fazer as pessoas parecerem idiotas seja uma boa ideia, mas podemos ver que entre esses dois irmãos há sempre a "necessidade de ter razão".

A jovem a seguir é aquariana e se relaciona muito bem com seu irmão sagitariano:

"Meu irmão é sagitariano e é o único da minha família que me entende de fato. Vejo muitas semelhanças comigo: ele é tranquilo, às vezes é desligado, gostamos de ocupar nossas mentes com novas informações, com um senso de humor amalucado, e as conversas NUNCA são entediantes. Ele não se envolve nos assuntos dos outros, não mente e nem fala de alguém pelas costas. É sempre muito direto, mas não de uma forma maldosa ou rude. No entanto também não engole desaforos de ninguém. É simplesmente uma pessoa bacana e, embora eu tenha vinte e poucos, ainda me oriento por ele, como eu fazia quando tinha uns 6 anos. Os sagitarianos são bem legais mesmo!"

Como podemos ver por esse exemplo, a necessidade de liberdade, tanto de aquarianos quanto de sagitarianos, é muito alta, e por isso eles se dão bem.

Compare com o que esta jovem geminiana fala de sua irmã sagitariana:

"Por que minha irmã sagitariana e eu brigamos sempre? Dizem que nossos signos combinam, não é? Até parece. Somos uma o oposto exato da outra. Sempre nos detestamos e sempre seremos assim. Como geminiana, sou emocional, sensível e tagarela. Ela é descuidada, na verdade, e sempre faz coisas emocionalmente horríveis, destrutivas. A coisa chegou a tal ponto que quase me matei de raiva. E então, por que dizem que geminianos e sagitarianos combinam?

O problema aqui é o estilo de comunicação. Os geminianos adoram tagarelar. Os sagitarianos só gostam de falar sobre as coisas que são "significativas" (para eles) e podem se entediar facilmente se ficarem falando de coisas menos "importantes". Os geminianos gostam de uma boa conversa e ninguém precisa "ganhar". Eles gostam mesmo é da troca proporcionada pelo papo. Os sagitarianos têm essas ideias grandiosas sobre o mundo e não gostam de vê-las desafiadas sob qualquer pretexto... e os geminianos adoram perguntar "Por quê?"... E se não obtiverem uma resposta que possam visualizar na mente, vão perguntar "Por quê?" de novo... E se o seu sagitariano não for lá muito bom em explicar o que ele está dizendo, o que pode acontecer, vai se sentir provocado e, como qualquer signo de Fogo, entrará no modo de "ataque".

Se o seu signo é de Água ou de Terra, a menos que vocês tenham Luas e Ascendentes compatíveis, você não vai ficar tão aborrecido com seu irmão de Sagitário e conseguirá seguir melhor seu caminho pela vida. Não vai ficar tão preocupado com todas essas "ideias" flutuando ao seu redor e provavelmente não vai compreender a razão de ele ser do jeito que é. Porém, já que leu até aqui, talvez agora compreenda.

Espero que você tenha gostado de aprender um pouco de Astrologia e saber como é o signo solar de Sagitário. Se quiser obter mais informações (em inglês), por favor, visite meu site: www.maryenglish.com.

Escrevo estas linhas enquanto a Lua está em Sagitário, em meu escritório em Bath, a cidade de fontes termais no sudoeste da Inglaterra. Sou de Peixes. Estou feliz com meu trabalho, com meu filho, com meu amável marido e com a minha família.

↗ Acreditando nas táticas ↗

Sei que a vida é feita de coisas boas e más, e decidi, não faz muito tempo, me concentrar no que é bom. Há uma vela queimando ao meu lado e estou imaginando que a chama que arde também irá ajudá-lo a focalizar o bem. Se todos nos entendêssemos um pouco mais, talvez ficássemos melhor. Desejo a você toda a paz do mundo... e felicidade também.

♐ Notas ♐

1. *Hands Across Time: The Soulmate Enigma*, 1997, Judy Hall, Findhorn Press, Forres, Escócia, IV36 0TZ.
2. *The Dawn of Astrology: A cultural history of Western astrology*, p. 41, 2008, Nicholas Campion, Continuum Books, Londres SE1 7NX.
3. Ver nota 2.
4. *The Astrologers and Their Creed*, 1971, Christopher McIntosh, Arrow Books Ltd, 3 Fitzroy Square, Londres W1.
5. *The Karmic Journey*, 1990, Judy Hall, Arkana, Penguin Group, Londres W8 5TZ, Inglaterra.
6. *Blake's Selected Poems*, William Blake, 1995, Dover Publications Inc, NY 11501.
7. http://www.feminist.com/resources/artspeech/interviews/janefonda.html.
8. *Becoming Jane Austen: A Life*, Jon Spence, 2003, Continuum, 11 York Road, Londres SE1 7NX.
9. http://www.telegraph.co.uk/culture/film/starsandstories/4387970/Brad-Pitt-interview-why-I-had-to-face-my-own-mortality.html

10. http://www.bbc.co.uk/programmes/b00zgqdl.
11. *Cunningham's Encyclopedia of Crystal, Gem and Metal Magic*, de Scott Cunningham.

♐ Informações adicionais ♐

Leitura Adicional

An Astrological Study of the Bach Flower Remedies, de Peter Damian, 1997, publicado por Neville Spearman Publishers/CW Daniel Company Ltd, 1 Church Path, Saffron Walden, Essex CB10 1JP.

Astrology for Dummies, 1999, IDG Books Worldwide, Inc, CA 94404.

Informações e Recursos

The Astrological Association: www.astrologicalassociation.com.

The Bach Centre, The Dr Edward Bach Centre, Mount Vernon, Bakers Lane, Brightwell-cum-Sotwell, Oxon, OX10 OPZ, GB: www.bachcentre.com.

Site ético de namoro: www.natural-friends.com.

Informações sobre Mapas Astrológicos

Informações sobre mapas e dados astrológicos de nascimento obtidos no astro-databank de www.astro.com e www.astrotheme.com.

↗ Informações adicionais ↗

Bette Midler, 1º de dezembro de 1945, Honolulu, HI, EUA, 14h19, Ascendente em Áries, Sol na 8ª casa, Lua em Escorpião.

Sammy Davis Jr. 8 de dezembro de 1925, Nova York, NY, EUA, 13h20, Ascendente em Áries, Sol na 9ª casa, Lua em Virgem.

Anna Freud, 3 de dezembro de 1895, Viena, Áustria, 15h15, Ascendente em Touro, Sol na 7ª casa, Lua em Gêmeos.

Christina Onassis, 11 de dezembro de 1950, Nova York, NY, EUA, 15h, Ascendente em Touro, Sol na 7ª casa, Lua em Capricórnio.

Bhagwan Shree Osho Rajneesh, 11 de dezembro de 1931, Kutchwada, Índia, 17h13, Ascendente em Gêmeos, Sol na 7ª casa, Lua em Capricórnio.

Ann Souter Gloag, 10 de dezembro de 1942, 15h45, Perth, Escócia, Ascendente em Gêmeos, Sol na 7ª casa, Lua em Capricórnio.

Maurice Denis, 25 de novembro de 1870, Granville, França, 16h, Ascendente em Gêmeos, Sol na 7ª casa, Lua em Capricórnio.

Paul Hewitt, 22 de novembro de 1949, Toronto, Canadá, 18h19, Ascendente em Gêmeos, Sol na 6ª casa, Lua em Capricórnio.

William Blake, 28 de novembro de 1757, Londres, Inglaterra, 19h45, Ascendente em Câncer, Sol na 5ª casa, Lua em Câncer.

Randy Newman, 28 de novembro de 1943, Los Angeles, CA, EUA, 20h02, Ascendente em Câncer, Sol na 5ª casa, Lua em Sagitário.

Tina Turner, 26 de novembro de 1939, Nutbush, TN, EUA, 22h10, Ascendente em Leão, Sol na 4ª casa, Lua em Aquário.

♐ Como acreditar num sagitariano ♐

Cliente X, 17 de dezembro de 1953, Nova York, NY, EUA, 20h13, Ascendente em Leão, Sol na 5ª casa, Lua em Touro.

Winston Churchill, 30 de novembro de 1894, 1h30, Woodstock, Inglaterra, Ascendente em Virgem, Sol na 3ª casa, Lua em Libra.

Walt Disney, 5 de dezembro de 1901, Chicago, IL, EUA, 0h35, Ascendente em Virgem, Sol na 3ª casa, Lua em Libra.

Woody Allen, 1º de dezembro de 1935, Bronx, NY, EUA, 22h55, Ascendente em Virgem, Sol na 4ª casa, Lua em Aquário.

Jane Austen, 16 de dezembro de 1775, Stevenson, GB, 23h45, Ascendente em Virgem, Sol na 4ª casa, Lua em Libra.

Frank Sinatra, 12 de dezembro de 1915, Hoboken, NJ, EUA, 3h, Ascendente em Libra, Sol na 2ª casa, Lua em Peixes.

Britney Spears, 2 de dezembro de 1981, 1h30, McComb, MS, EUA, Ascendente em Libra, Sol na 3ª casa, Lua em Aquário.

Jennifer Carpenter, 7 de dezembro de 1979, Louisville, KY, EUA, 3h, Ascendente em Libra, Sol na 2ª casa, Lua em Câncer.

Noël Coward, 16 de dezembro de 1899, Teddington, GB, 2h30, Ascendente em Libra, Sol na 3ª casa, Lua em Gêmeos.

Beethoven, 16 de dezembro de 1770, Bonn, Alemanha, 3h40, Ascendente em Escorpião, Sol na 2ª casa, Lua em Sagitário.

Edith Piaf, 19 de dezembro de 1915, Paris, França, 5h, Ascendente em Escorpião, Sol na 2ª casa, Lua em Gêmeos.

Uri Geller, 20 de dezembro de 1946, Tel Aviv, Palestina, 2h30, Ascendente em Escorpião, Sol na 2ª casa, Lua em Escorpião.

Mark Twain, 30 de novembro de 1835, Flórida, MO, USA, 4h45, Ascendente em Escorpião, Sol na 1ª casa, Lua em Áries.

↗ Informações adicionais ↗

Keith Richards, 18 de dezembro de 1943, Dartford, GB, 6h, Ascendente em Escorpião, Sol na 2ª casa, Lua em Virgem.

Gary Gilmore, 4 de dezembro de 1940, McCarney, TX, EUA, 6h30, Ascendente em Escorpião, Sol na 1ª casa, Lua em Aquário.

Benjamin Disraeli, 21 de dezembro de 1804, Londres, Inglaterra, 5h30, Ascendente em Escorpião, Sol na 2ª casa, Lua em Leão.

Brad Pitt, 18 de dezembro de 1963, Shawnee, OK, EUA, 6h31, Ascendente em Sagitário, Sol na 1ª casa, Lua em Capricórnio.

Jonathan Cainer, 18 de dezembro de 1957, Londres, Inglaterra, 8h, Ascendente em Sagitário, Sol na 1ª casa, Lua em Escorpião.

Jimi Hendrix, 27 de novembro de 1942, Seattle, WA, EUA, 10h15, Ascendente em Sagitário, Sol na 12ª casa, Lua em Câncer.

Bruce Lee, 27 de novembro de 1940, San Francisco, EUA, 7h07, Ascendente em Sagitário, Sol na 12ª casa, Lua em Escorpião.

Jane Fonda, 21 de dezembro de 1937, Manhattan, NY, EUA, 9h14, Ascendente em Capricórnio, Sol na 12ª casa, Lua em Leão.

J. Paul Getty, 15 de dezembro de 1892, 8h43, Minneapolis, MN, EUA, Ascendente em Capricórnio, Sol na 12ª casa, Lua em Escorpião.

Boris Karloff, 23 de novembro de 1887, Londres, Ascendente em Capricórnio, Sol na 11ª casa, Lua em Peixes.

Janis Joplin, 19 de janeiro de 1943, Port Arthur, TX, EUA, 9h45, Ascendente em Aquário, Sol na 12ª casa, Lua em Câncer.

Christina Aguilera, 18 de dezembro de 1980, Staten Island, Nova York, EUA, 10h46, Ascendente em Aquário, Sol na 11ª casa, Lua em Touro.

Jim Morrison, 8 de dezembro de 1943, Melbourne Fl, EUA, 11h55, Ascendente em Aquário, Sol na 11ª casa, Lua em Touro.

Kim Basinger, 8 de dezembro de 1953, Athens, Georgia, EUA, 11h04, Ascendente em Aquário, Sol na 11ª casa, Lua em Capricórnio.

Einaudi, 23 de novembro de 1955, Turim, Itália, 12h, Ascendente em Aquário, Sol na 10ª casa, Lua em Peixes.

Robin Williamson, 24 de novembro de 1943, Glasgow, GB, 14h50, Ascendente em Peixes, Sol na 9ª casa, Lua em Libra.

Dion Fortune, 6 de dezembro de 1890, Llandudno, Gales, Lua em Libra.

Gilbert O'Sullivan, 1º de dezembro de 1946, Waterford, Irlanda, Lua em Peixes

PRÓXIMOS LANÇAMENTOS

Editora Pensamento
SÃO PAULO

Para receber informações sobre os lançamentos da
Editora Pensamento, basta cadastrar-se no site:
www.editorapensamento.com.br

Para enviar seus comentários sobre este livro,
visite o site
www.editorapensamento.com.br
ou mande um e-mail para
atendimento@editorapensamento.com.br